la talla en madera

Oficios Artísticos

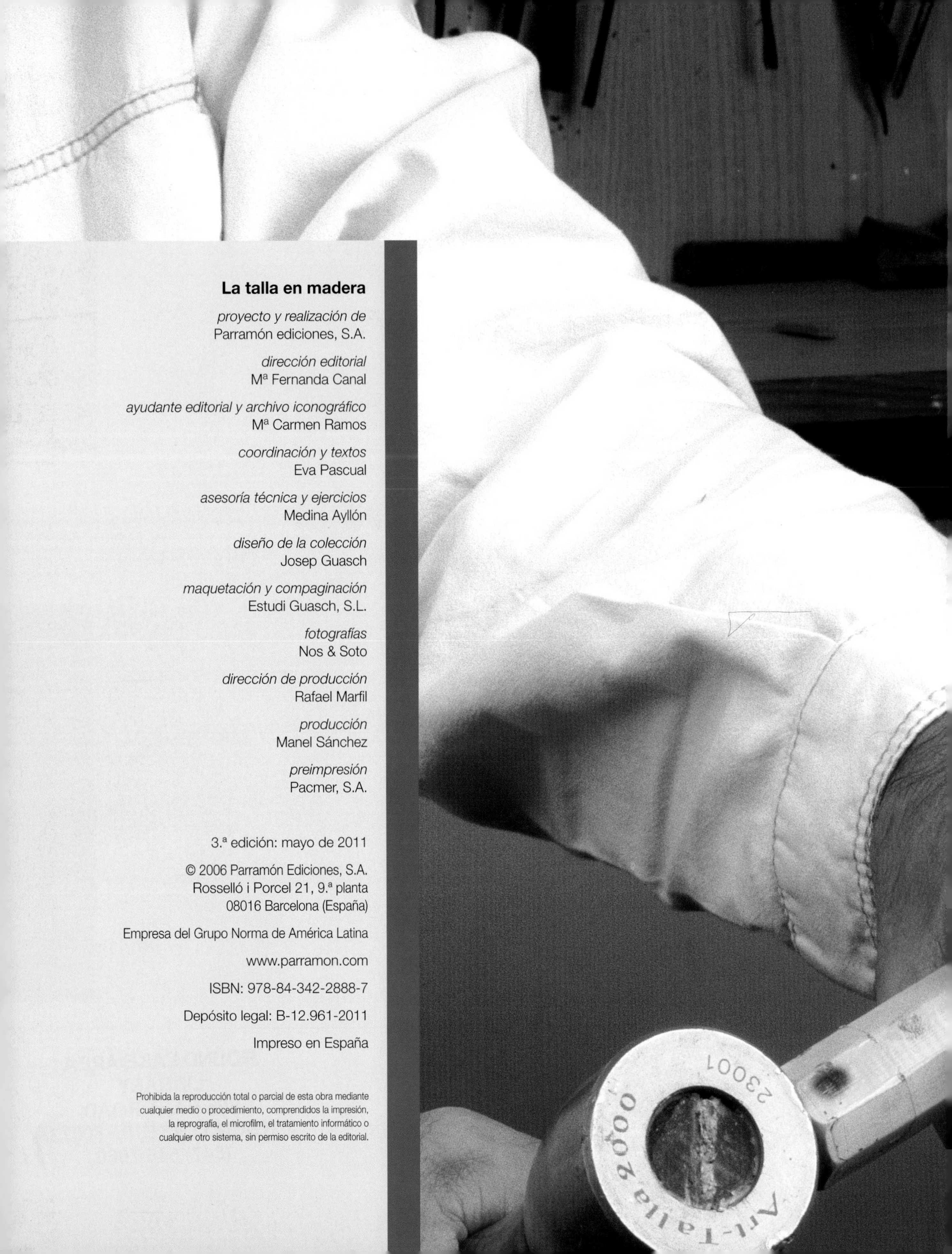

La talla en madera

proyecto y realización de
Parramón ediciones, S.A.

dirección editorial
Mª Fernanda Canal

ayudante editorial y archivo iconográfico
Mª Carmen Ramos

coordinación y textos
Eva Pascual

asesoría técnica y ejercicios
Medina Ayllón

diseño de la colección
Josep Guasch

maquetación y compaginación
Estudi Guasch, S.L.

fotografías
Nos & Soto

dirección de producción
Rafael Marfil

producción
Manel Sánchez

preimpresión
Pacmer, S.A.

3.ª edición: mayo de 2011

Rosselló i Porcel 21, 9.ª planta
08016 Barcelona (España)

Empresa del Grupo Norma de América Latina

www.parramon.com

ISBN: 978-84-342-2888-7

Depósito legal: B-12.961-2011

Impreso en España

la talla en madera

Oficios Artísticos

Materiales y herramientas

Técnicas básicas

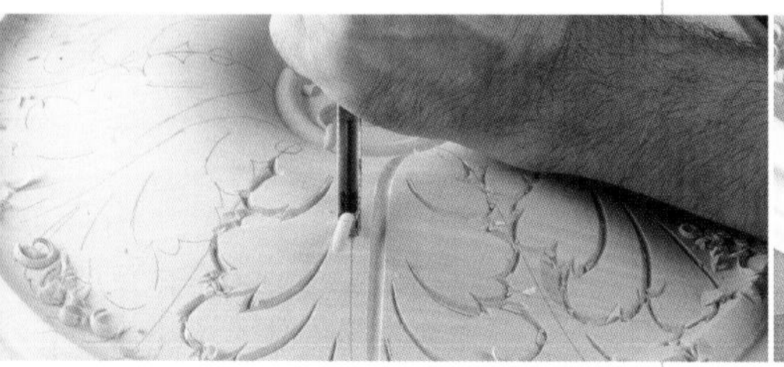
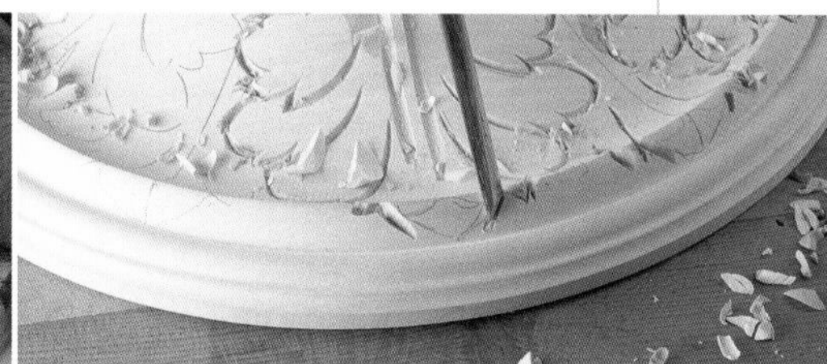

Paso a paso

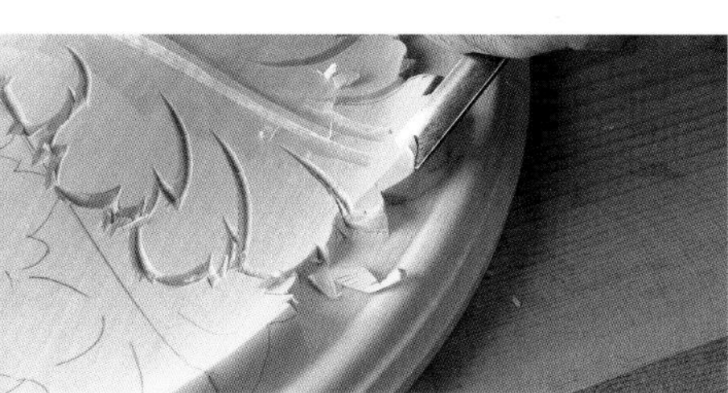

En esta obra se recogen los aspectos fundamentales de la talla en madera. Se explican con detalle los principios sobre los que se fundamenta esta disciplina, aportando una visión general sobre los métodos y las técnicas desde un punto de vista didáctico. Así, se recogen los procesos de talla en su globalidad, tanto la talla directa como la realizada mediante procesos de reproducción. La talla se basa en la creación de obras en volumen mediante la sustracción de material, razón por la cual el aspecto fundamental consiste en entender y visualizar correctamente los volúmenes para trasladarlos luego a la madera. El presente libro se articula en cuatro capítulos. En el primero se muestran los materiales y las herramientas, haciendo especial hincapié en la madera y las herramientas fundamentales para tallarla, las gubias. Seguidamente, en el capítulo de técnicas básicas se aborda el diseño de la obra, la preparación

de la madera y el silueteado. También se explican en profundidad distintos métodos de reproducción, desarrollando de manera práctica los conceptos teóricos sobre los que se fundamenta cada uno. En este sentido, se muestra de modo pormenorizado el sacado de puntos y el método Medina de ampliación, el cual constituye una novedad en esta disciplina. A continuación, se trata el desbastado y el corte, y se solucionan los problemas más usuales. El tercer capítulo reúne una serie de pasos a paso donde se desarrolla el proceso completo de cada proyecto, articulados según su nivel de dificultad y que en conjunto abordan los diferentes aspectos de la talla. Finalmente, se ofrece una interesante galería que incluye obras en madera de artistas internacionales; un glosario aporta las definiciones de los principales conceptos y una detallada bibliografía sirve de referencia para quienes deseen profundizar en el tema.

Materiales y herramientas

En este capítulo se explican las características de los materiales y las herramientas que se emplean para la talla en madera. Primero se muestran los materiales más usuales, prestando especial atención a la madera, de la que se describe su naturaleza y sus principales características, a fin de que sirva como referencia para los lectores y punto de partida para profundizar en el conocimiento de esta materia. A continuación, se presenta un amplio abanico de las maderas más empleadas en los trabajos de talla. Finalmente, se exponen otros materiales y las herramientas más habituales, unos y otras agrupados según su uso.

Sección transversal (corte perpendicular al eje del tronco). Se observa la médula, en el centro, así como los anillos de crecimiento, en los que se distingue perfectamente el leño temprano (de tono blancuzco) del leño tardío (color oscuro).

La **madera**

CARACTERÍSTICAS DE LA MADERA

La madera es un complejo de tejidos que sirve como soporte y permite la circulación de agua y nutrientes en las plantas superiores. Es el conjunto de tejidos que forman el tronco, las raíces y las ramas de los vegetales leñosos, excluida la corteza. Los vegetales leñosos son plantas vasculares (tienen tejidos conductores especializados) que viven cierto número de años; su tallo principal persiste de un año a otro (en los árboles recibe la denominación de tronco) y poseen un crecimiento longitudinal (vertical) y un crecimiento secundario (en diámetro).
Así pues, la madera no es un material homogéneo, sino que está formada por un conjunto de tejidos (formado, a su vez, por células que constituyen las fibras) que llevan a cabo las tres funciones fundamentales de la planta: conducción de la savia, almacenamiento de los productos y sostén. Esta heterogeneidad otorga a la madera propiedades particulares.
Estructuralmente, en la madera se distinguen varias partes: la corteza externa (el tejido impermeable que recubre y protege a la planta), la corteza interna (denominada liber), el cambium (una capa delgada de células vivas generadora del crecimiento en espesor de la planta) y el leño, o tejido leñoso, que forma la mayor parte del tronco.
A su vez, el leño está formado por la albura, el duramen y la médula, constituyendo esta última el corazón de la planta. La albura es la madera joven que rodea el duramen, su color suele ser más claro que el de éste, pero resulta más porosa y blanda; es la encargada de transportar la savia. El duramen, esto es, la madera propiamente dicha, sirve de sostén y es más denso, duro y resistente a los ataques de los insectos que la albura. Los anillos de crecimiento anual (el crecimiento secundario, en diámetro, del tronco) están formados

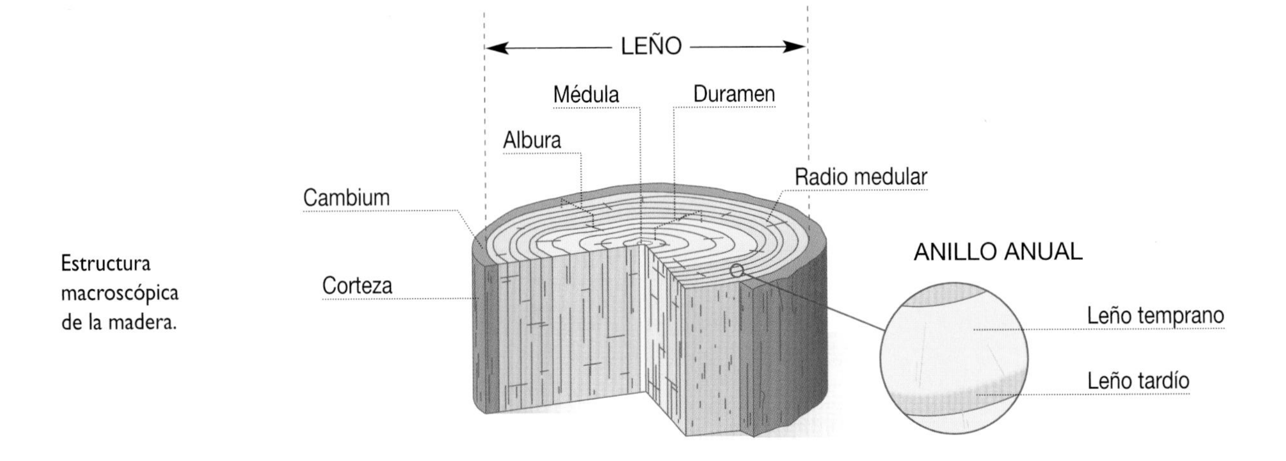

Estructura macroscópica de la madera.

Sección tangencial (corte paralelo a un plano tangente al tronco o a los anillos de crecimiento). Obsérvese el veteado, producido por el corte tangencial de los anillos de crecimiento, donde contrastan el leño temprano y el leño tardío.

Aspecto general de un tronco de pino cortado para mostrar las posibles secciones de la madera. En este caso, se ha manipulado la superficie de la madera: se ha quemado y después se ha aplicado una capa de goma laca y pátina blanca para resaltar los elementos estructurales.

por el tejido o madera de primavera, denominado leño temprano, y la madera de verano, denominada leño tardío.
El leño temprano presenta una primera capa de crecimiento y una densidad menor y está compuesto por células más grandes que las del leño tardío; su coloración es clara y su madera no resulta muy compacta. El leño tardío muestra una última capa de crecimiento, es más denso y está compuesto por células más pequeñas que las del leño temprano, sirve de sostén y tiene más color.
Aparte de estos elementos, también son importantes algunas propiedades físicas de la madera, por ejemplo la textura, el grano, la fibra o el color, que sirven para identificarla. Se denomina textura a la relación entre la madera de otoño y la total del anillo, aunque este término se confunde con el grano. Este concepto se define a partir de la respuesta que ofrece la madera al trabajo de talla, y anatómicamente, responde a la relación entre los diferentes diámetros de los elementos longitudinales de la madera; así, cuando son fáciles de apreciar, se dice que la madera es de grano grueso, y cuando no son visibles a simple vista se considera que la madera es de grano fino.
La madera de fibra recta presenta fibras que siguen el eje del árbol o arbusto, aunque es posible que algunas maderas tengan fibras rectas pero onduladas en toda su longitud, fibras entrelazadas o fibras reviradas.
El color de la madera lo determinan las sustancias contenidas en su interior o que impregnan las paredes de las células (pigmentos, taninos, resinas, etc.), y depende de la edad, las condiciones de crecimiento y el clima en que se desarrolla el ejemplar.
Igualmente definitorios son la hendibilidad, dureza, flexibilidad, densidad, porosidad, homogeneidad y el veteado.

Sección radial (corte que pasa por el eje del tronco). Se observa perfectamente la médula, situada en el centro, y los radios que parten de ésta hacia el exterior.
A la izquierda se aprecia un gran nudo.

Maple.

Cedro de Honduras.

Tipos de **maderas**

Existen innumerables géneros y especies de árboles y arbustos empleados como madera. Su utilización varía según las diferentes zonas y los países, motivo por el cual se aporta información específica para realizar trabajos de talla.

ACER PSEUDOPLATANUS. *MAPLE*

Madera dura y ligera de color blanco o gris café a blanco, o gris café a amarillo blanco, o gris a rojizo (generalmente blanco a amarillento), que al envejecer adquiere un tono grisáceo. Fina, sedosa y compacta, resulta elástica y estable, resistente a la abrasión y al agrietamiento. No aguanta el ataque de los insectos ni los efectos de la intemperie. Se trabaja y pule bien. También recibe la denominación de sicómoro, arce y erable. Procede de Europa, norte de África y Medio Oriente, zona de Asia de clima templado y Norteamérica.

ALNUS GLUTINOSA. *ALISO*

Ligera y blanda, de grano apretado y densidad media. Ofrece color marrón muy pálido, o también castaño claro a amarillento y rojizo con veteados oscuros. De textura fina, que oscurece a marrón profundo si se expone a la luz. Resistente al agua (se empleaba para conducciones de agua y palafitos). Fácil de trabajar, pulir y acabar, no aguanta el ataque de los insectos ni los hongos. Procede de Europa y Siberia.

BETULA PENDULA. *ABEDUL*

Madera algo dura y resistente, de densidad media. De color blanco, entre amarillento a rosado y rojizo, y vetas cortas y compactas. Excepcionalmente, presenta vetas de color vivo y a veces manchas oscuras. Tiene una textura fina y uniforme. No se agrieta, aunque se carcome y pudre si se expone a un exceso de humedad. Procede de Europa central.

BUXUS SEMPERVIRENS. *BOJ*

Madera dura, densa y maciza. Muy fuerte, compacta y pesada, de grano fino, sus vetas y anillos son apenas visibles. Presenta un aspecto muy homogéneo, sin aguas o vetas, de color

Cedro del Líbano.

Aliso.

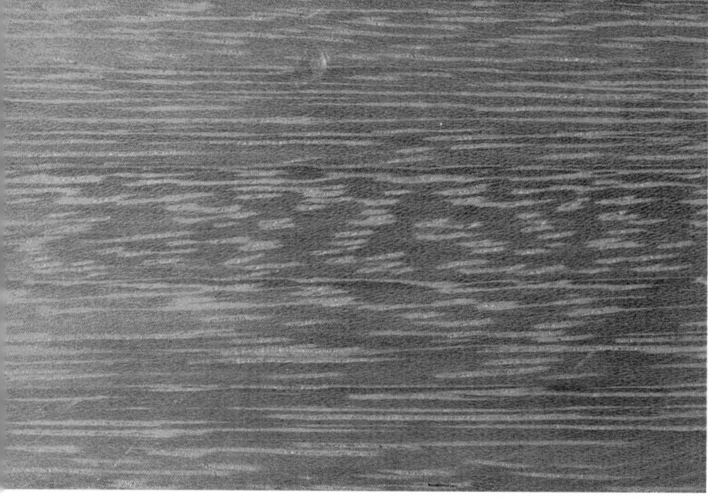

Iroko.

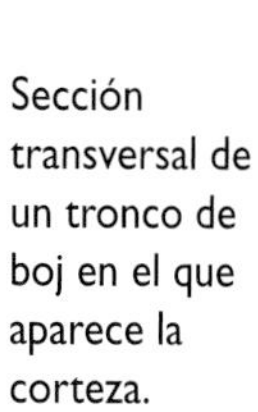

Sección transversal de un tronco de boj en el que aparece la corteza.

amarillento muy vivo a amarillo marfil. Se trabaja bien en todas direcciones, acepta el tinte y permite un buen pulido. Procede del centro y sur de Europa, norte de África, Cáucaso, Asia menor e Himalaya occidental.

CEDRELA ODORATA. ***CEDRO DE HONDURAS***

Madera algo dura, homogénea, de color rosa rojizo. De fibra recta, veta tupida, poros visibles a simple vista y grano apretado. Resulta muy estable y resistente a la humedad, duradera en el exterior y repele a los insectos. Fácil de tallar y trabajar. Procede de América del Sur.

CEDRUS LIBANI. ***CEDRO DEL LÍBANO***

Madera algo dura y semipesada, homogénea, de color canela rosado a amarillento oscuro o pardo claro, con anillos de crecimiento irregulares y algunas veces con nudos. La fibra suele ser recta. Desprende un olor característico muy intenso. Es resistente y repele a los insectos. Fácil de tallar y trabajar. Procede de Oriente Medio, principalmente del Líbano, Turquía y Siria.

CHLOROPHORA EXCELSA. ***IROKO***

Madera algo dura y semipesada, de color marrón verdoso o marrón amarillento que con el tiempo se torna marrón dorado. Es grasa y presenta poros abiertos, generalmente de grano entrelazado y con vetas entrelazadas que, en ocasiones, producen efecto de muaré. Se trabaja con dificultad pero permite un buen acabado. También se denomina teca africana, semli, koetema y odum. Procede de África.

CUPRESSUS SEMPERVIRENS. ***CIPRÉS***

Madera blanda y semipesada. De color pálido, presenta vetas rojizas características y anillos finos. Su alto contenido en resina la hace muy resistente, duradera e incorruptible. Posee un característico olor fuerte y persistente. Resulta fácil de trabajar, lo que permite un buen acabado. Procede de Asia menor.

Abedul.

Boj.

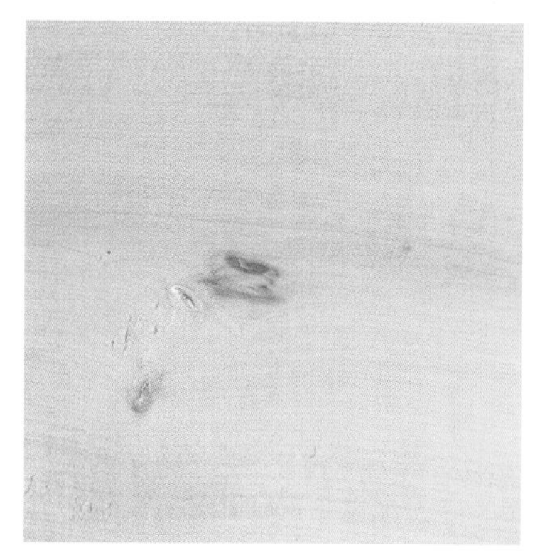

Ciprés.

Palo Rosa. Obsérvese la diferencia de color entre la albura y el duramen.

Cocobolo.

DALBERGIA RETUSA. *COCOBOLO*

Madera muy dura, pesada y densa. Una vez cortada y en contacto con la luz y el aire se torna de un color naranja rojizo profundo, con vetas oscuras de color marrón oscuro a morado o negro, desprendiendo un aroma muy particular, fragante y algo astringente. De textura fina y grano recto. Contiene una importante proporción de aceites, lo cual le confiere un aspecto lustroso característico. Muy duradera y fuerte, resistente al contacto con el agua. Se trabaja con dificultad, pero permite un acabado excelente. Procede de México y Centroamérica.

DALBERGIA VARIABILIS. *PALO ROSA*

Madera muy dura, pesada y densa. De color rojizo pálido a rojizo pálido morado con vetas finas de color marrón rojizo muy pronunciadas. Su fibra está ligeramente entrelazada. Se trabaja y pule bien. Es incorruptible. Procede de la zona tropical de América del Sur.

DYOSPIROS SP. *ÉBANO*

Nombre con que se designan diferentes especies del género *Dyospiros*. Madera muy dura, compacta y pesada, de fibra recta y muy fina. De color uniforme, que varía del marrón oscuro profundo al negro intenso, según su procedencia, siendo esta última la más apreciada. Muy duradera, es inatacable por los insectos. De difícil trabajo, pero fácil de pulir y afinar. Procede de África (*Dyospiros crassiflora*), Madagascar (*Dyospiros perrieri*) o Asia (*Dyospiros ebenum*, *Dyospiros melanoxylon*).

ENTANDROPHRAGMA UTILE. *SIPO*

Madera semidura y algo pesada, de color marrón rosado a marrón rojizo o pardo rojizo un poco violáceo con radios leñosos visibles y de tamaño mediano. Presenta veteado de color oscuro negruzco. Es estable y resistente. Compacta y de poros finos. Se talla bien y permite un acabado y un pulido óptimos. Desprende un débil olor que recuerda al del cedro. Procede de África tropical.

Ébano.

Haya.

Sipo.

Bolondo.

ERYTHOPHLEUM IVORENSE. *BOLONDO*

Madera muy dura, de color amarillo verdoso o marrón rojizo, según su procedencia, presenta manchas oscuras que producen efecto de muaré. De aspecto homogéneo, posee la fibra revirada. Tiene vasos grandes, visibles a simple vista, que ofrecen aspecto de grano basto. Es en extremo resistente a todos los agentes de destrucción, incluso a los ácidos, resultando prácticamente inatacable. Desgasta las herramientas, aunque se astilla con facilidad. Procede de África tropical.

FAGUS SYLVATICA. *HAYA*

Madera pesada, semidura y elástica, de color blanco amarillento (natural) o ligeramente anaranjado a rosado intenso (si está vaporizada). De fibra recta, tiene los anillos poco marcados, es homogénea, de textura fina y uniforme y presenta pocos nudos.
Muy sensible al ataque de los insectos y resistente al calor. Se trabaja muy bien. Precede de Europa, Norte de África y Oriente Medio, zonas de clima templado de Asia y Norteamérica.

GUAIACUM OFFICINALE. GUAIACUM SANCTUM. *GUAYACÁN*

Madera dura, densa y muy pesada. De color café, negro y verde (de color muy variable, de marrón oliváceo claro a marrón chocolate), con vetas pronunciadas y a menudo con rayas ocres más claras, cuyo color se debe a los cristales de oxalato de calcio que contienen las fibras. La superficie de la madera verde se oscurece a marrón verdusco oscuro por exposición a la luz. De textura fina, presenta un aspecto "aceitoso" a la vista. Emite un olor limpio y fresco, distinto del de cualquier otra madera. Muy duradera. También se denomina palosanto (*Bulnesia sarmentoi*). Procede de Centroamérica, el Caribe y Sudamérica tropical.

Guayacán. Obsérvese la diferencia de color entre la albura y el duramen.

GUAREA CEDRATA. *BOSSÉ*

Nombre con el que se designan diferentes especies del género *Guarea*. Madera semipesada y algo dura o muy dura, dependiendo de la especie. Presentan color uniforme, de tono salmón claro oscureciendo ligeramente a marrón anaranjado. De textura fina, con fibra recta o un poco entrelazada que puede producir efecto muaré. Es muy duradera. Se trabaja con facilidad y una vez pulida adquiere lustre. Procede de África tropical.

Bossé.

Olivo. Sección tangencial parcial de un tronco.

Bubinga.

GUIBOURTIA DEMEUSEI. *BUBINGA*

Madera pesada y muy dura. De color amarillo a rojizo café o pardo rojizo a rosado viejo con vetas pronunciadas de color negruzco o purpúreas a rojo anaranjado. De textura fina, fibra recta o ligeramente entrelazada y grano muy marcado. No es fácil de trabajar, pero permite un buen acabado. Al tallarla desprende un olor característico. Procede de África tropical.

OLEA EUROPAEA. *OLIVO*

Madera dura, pesada y compacta, de aspecto característico. De color café amarillento profundo a amarillo profundo con vetas pronunciadas de color pardo oscuro. De grano apretado y fibra irregular, a veces entrelazada, presenta anillos irregulares. Se trabaja y pule bien. Tiene un tacto aceitoso y desprende olor a aceite. Originaria del Medio Oriente. Se ha introducido en el sur de Europa y en el norte de África.

PELTOGYNE CONFERTIFLORA. *AMARANTO*

Madera muy dura, pesada, densa y compacta. De color castaño violáceo a violeta más o menos oscuro. Recién cortada es de color gris, aunque se oxida en contacto con el aire, y adquiere un tono violeta. De fibra recta y vasos muy visibles. Difícil de trabajar y pulir. Recibe también la denominación de palo violeta. Procede de Centroamérica y la región tropical de América del Sur.

PINUS SYLVESTRIS. *PINO FLANDES*

Madera blanda y resinosa. De color amarillo blancuzco con vetas más oscuras de tono siena ocre y de

Sección tangencial de un tronco de plátano que conserva la corteza.

Pino Flandes.

Amaranto.

Pino melis.

fibra recta y seguida y grano fino.
Es fuerte y fácil de trabajar.
Procede del centro y norte de Europa.

PINUS PALUSTRIS. *PINO MELIS*

Madera bastante densa, muy resinosa y algo dura. Su color oscila del amarillo anaranjado al amarillo marronoso rojizo, con características vetas rojizas rectas y seguidas. Es ligera y de fibra recta, muy resistente y durable. Se trabaja y pule sin problemas. Procede del sureste de Estados Unidos. Otras variedades de pino (*Pinus rigida* y *Pinus elliotti*) se comercializan con esta denominación; sin embargo, el pino melis es estrictamente la especie *P. palustris*.

PLATANUS HIBRIDA. *PLÁTANO*

Madera algo dura, flexible y pesada. De color amarillento oscuro o rojizo a blanco o gris con irisaciones pronunciadas. Radios leñosos visibles, muy anchos, llamativos y decorativos. Es sencilla de trabajar y permite buenos acabados. Resulta fácil de atacar por los insectos. Es una especie híbrida del *Platanus occidentalis* y el *P. orientalis*.

PRUNUS SEROTINA. *CEREZO NEGRO AMERICANO*

Madera bastante dura, semipesada y algo densa. De color castaño rojizo claro característico y veta recta, con veteado lustroso. Es muy compacta, de grano recto y textura fina, fácil de teñir, trabajar y pulir. Resulta muy estable y resistente. Se cultiva en zonas de clima templado en el mundo entero.

PSEUDOTSUGA DOUGLASII. *PINO OREGÓN*

Madera ligera y semidura, resinosa, con anillos de crecimiento muy marcados. De color amarillo rojizo a rojo anaranjado o marrón tostado, con veteado seguido de color pardo. Oscurece con el paso del tiempo. Es estable y duradera, y se trabaja bastante bien. Procede de Norteamérica, pero ha sido introducida en Europa, Australia y Nueva Zelanda.

Plátano.

Cerezo.

Pino Oregón.

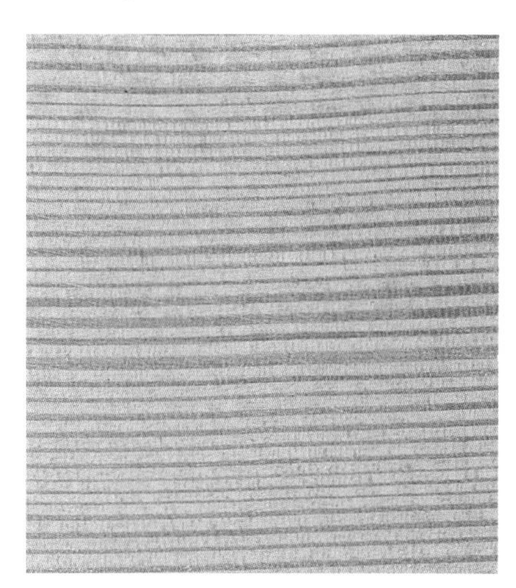

Roble.

Caoba de Honduras.

PTEROCARPUS SOYAUXII. *CORAL*

Madera bastante dura y semidensa. De color rojizo muy intenso, que oscurece hacia rojo profundo con tonos violáceos y morados oscuros con el tiempo. De estructura dura y fina, con vetas pronunciadas. Es muy elástica y resistente, y se trabaja y pule bien. Muy perfumada. Se denomina también padouk. Procede de África tropical.

QUERCUS ROBUR. *ROBLE EUROPEO*

Madera muy dura, pesada y compacta de grano fino. De color amarillo terroso o café claro a pardo blancuzco. De textura gruesa y grano recto, que según el corte presenta amplios rayos característicos. Tiene anillos de crecimiento muy marcados. Es muy resistente y duradera. Procede de Europa, norte de África y Medio Oriente, zonas de clima templado de Asia y Norteamérica.

SWIETENIA MACROPHYLLA. *CAOBA DE HONDURAS*

Madera dura de color asalmonado pálido a pardo rojizo característico, de tono profundo y uniforme. Con el tiempo adquiere un lustre dorado. Presenta fibras rectas y homogéneas, duras y compactas. Su grano es generalmente fino, y se trabaja y pule bien. Resulta muy duradera y resistente a la humedad y al ataque de los insectos. Procede de Centroamérica y Sudamérica tropical.

TIEGHEMELLA AFRICANA. *UKOLA*

Madera dura, densa y estable. De color desde rosado pálido a encarnado profundo, dependiendo de la edad y el tamaño del árbol. De poro fino, es fácil de trabajar, pulir y barnizar. Procede de África tropical.

Coral.

Ukola.

Tilo.

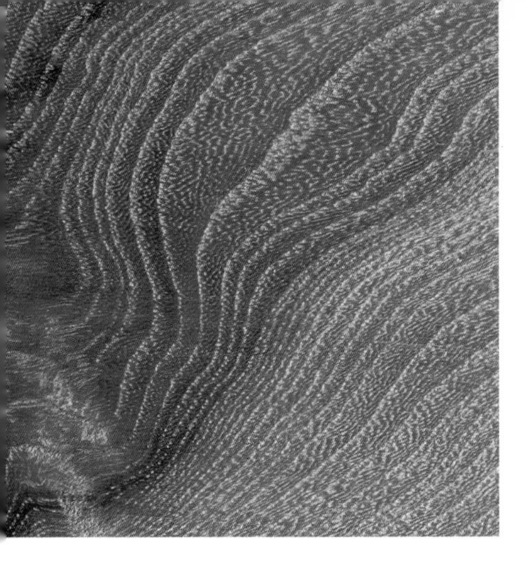

Olmo.

TILIA EUROPAEA. *TILO*

Madera de densidad media. De color gris a amarillo claro o gris a marrón rojizo muy claro. De fibras rectas y textura fina y lisa. Es ligera, elástica y blanda. Resiste bien los efectos de la intemperie, pero resulta vulnerable al ataque de hongos e insectos. Fácil de cortar y trabajar. Procede de Europa, norte de África, Oriente Medio, zonas de clima templado de Asia y Norteamérica.

ULMUS CAMPESTRIS. *OLMO*

Madera semipesada y bastante dura. De color pardo o castaño rojizo claro con vetas pronunciadas. Es fuerte y elástica. Porosa, de fibra tenaz y entrelazada, textura gruesa y, generalmente, de grano irregular. Es propensa al alabeo y a hendirse. Muy duradera, resistente a la carcoma, la humedad y el roce. Resulta difícil de pulir. Procede del centro y sur de Europa, Asia menor y extremo septentrional de África.

ESPECIES MADERERAS AMENAZADAS

La tala intensiva de árboles está provocando la destrucción de los bosques tropicales de nuestro planeta. Para protegerlos y asegurar la supervivencia de estas especies y de los ecosistemas es importante conocerlas y utilizar sólo maderas procedentes de bosques cultivados o de explotación controlada, que ostenten el etiquetado con la certificación FSC (Forest Stewardship Council).

Abeto mexicano
Abies guatemalensis

Afrormosia
Pericopsis elata

Bubinga
Guibourtia demeusei

Ciruelo africano
Prunus africana

Caoba
Swietenia mahagoni
Swietenia humilis

Caoba de Honduras
Swietenia macrophylla

Ciprés de la Patagonia
Fitzroya patagonica

Ciprés de Chile
Pilgerodendron uviferum

Cocobolo
Dalbergia retusa

Coral
Pterocarpus soyauxii

Cristóbal
Platymiscium pleiostachyum

Ébano
Dyospiros ebenum

Gavilán
Oreomunnea pterocarpa

Gonçalo Alves
Astronium fraxinifolium

Iroko
Chlorophora excelsa

Jacaranda
Dalbergia nigra

Jelutong
Dyera costulata

Madera de Agar
Aquilaria malaccensis

Obeche
Triplochiton scleroxylon

Palisandro Índico
Dalbergia Latifolia

Palisandro rey
Dalbergia carensis

Palo del Brasil
Guilandina echinata

Palo Rosa
Dalbergia variabilis

Palo Santo
Guaiacum officinale
Guaiacum sanctum

Pino de chile
Araucaria araucana

Pino del cerro
Podocarpus parlatorei

Podo de Asia
Podocarpus neerifolius

Ramín
Gonystylus macrophyllum

Sándalo rojo
Pterocarpus santalinus

Satén
Chloroxylon swietenia

Sawari
Caryocar costarricense

Sipo
Entandrophragma utile

Teca
Tectona grandis

Tejo del Himalaya
Taxus wallichiana

Tulipanero
Dalbergia frutescen

Material para dibujo y diseño: compás, sacapuntas, lápices, lápiz portaminas, minas.

OTROS MATERIALES

MATERIALES AUXILIARES

Material de dibujo: es aconsejable disponer de un amplio surtido de materiales y útiles de dibujo en el taller para dibujar y crear los diseños en la fase de proyecto de la obra.

Piedras para afilar: existe una gran variedad de piedras para afilar las herramientas; fundamentalmente las gubias, aunque las más indicadas son las "piedras de Arkansas". Son rocas sedimentarias compuestas, en su mayoría, de sílice microcristalino (un 99 % de $HSiO_2$), esto es, cuarzo microcristalino recristalizado, que en los yacimientos se encuentra formando estratos junto con otras rocas compuestas también de sílice. Se trata de piedras densas, muy duras, de color blanco a gris claro, traslúcidas y con un brillo cerúleo característico. Son, sin embargo, muy frágiles y se rompen con facilidad con los golpes, produciéndose fracturas concoideas. Esta piedra también se denomina *novaculite*.

Cola: cola de acetato de polivinilo (PVA), también denominada cola blanca o cola de carpintero. Es soluble en agua y una vez seca es transparente, su residuo es fácil de eliminar y no mancha. El tiempo de secado es de unas 24 horas.

MATERIALES PARA ACABADOS

Lijas: se emplean para pulir y alisar la superficie de la madera. Se trata de una hoja (de papel fuerte, o de tejido o fibra vulcanizada) en una de cuyas caras lleva adherido un material abrasivo, denominado grano. Existe una gran variedad de calidades y variedades de lijas. Se numeran según el número de granos; cuanto menor es éste (cantidad por área de superficie) menor es el número y más basto el lijado. Así, a mayor número de granos, más pequeños son éstos y el lijado deviene más fino.

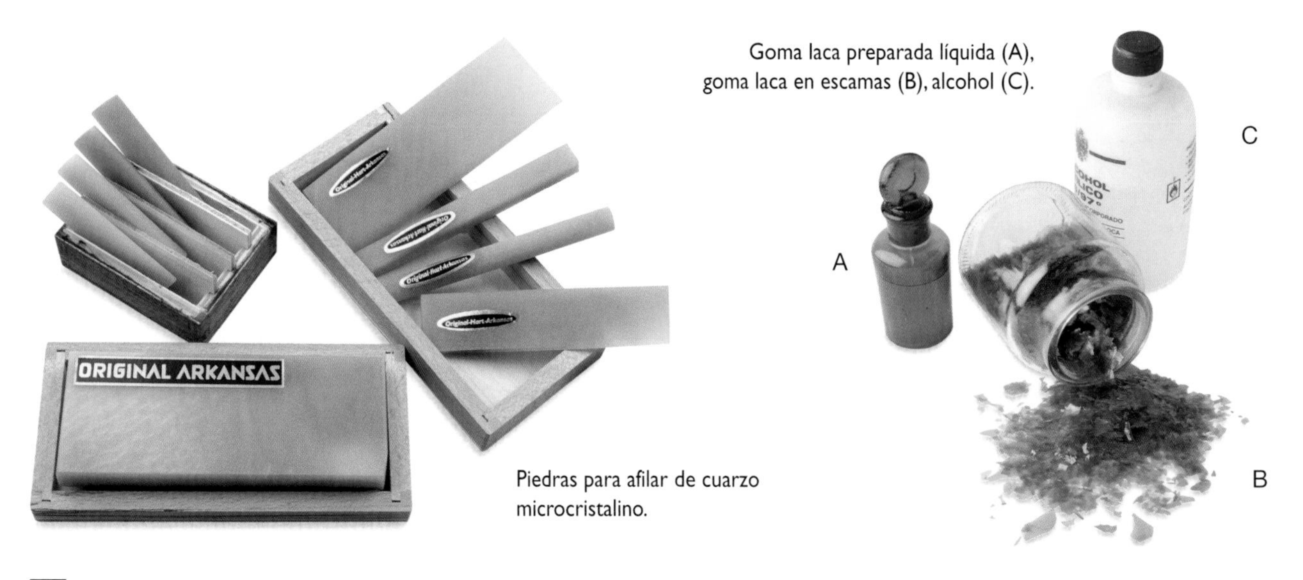

Goma laca preparada líquida (A), goma laca en escamas (B), alcohol (C).

Piedras para afilar de cuarzo microcristalino.

Diferentes lijas para lijar a mano y a máquina.

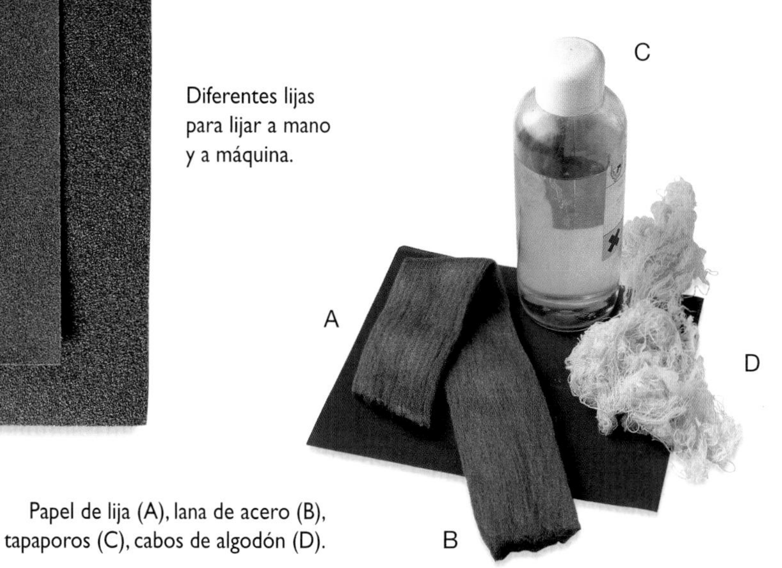

Papel de lija (A), lana de acero (B), tapaporos (C), cabos de algodón (D).

Lana de acero: la lana de acero es un estropajo compuesto por filamentos o largas virutas de acero más o menos finas. Se comercializa con numeraciones que abarcan del 0 (la de hilos más gruesos) al 0000 (la de hilos más finos). Se emplea para pulir la madera y en pulidos muy finos.

Tapaporos: es un barniz incoloro que se emplea para sellar o tapar el poro de la madera, usualmente como base de posteriores acabados. Es un producto tóxico que requiere el uso de guantes protectores y mascarilla antivapores.

Goma laca: es la secreción de la cochinilla de laca que vive en diversas clases de árboles en la India y Tailandia. Se puede adquirir líquida, lista para su uso o en escamas, para preparar en el taller disolviéndola en alcohol.

Cera: es una mezcla de ceras animales, vegetales y/o minerales que junto con un diluyente proporciona un sólido untuoso al tacto. Existen múltiples variedades de cera en el mercado, aunque las más indicadas son las ceras en crema.

Cabos de algodón y trapos: los cabos de algodón se usan para aplicar los productos de acabado sobre la madera; los trapos de algodón, para abrillantar la superficie de la madera encerada.

Anilinas: las anilinas son materias colorantes obtenidas por transformación del benceno que se emplean para elaborar tintes con los que teñir la madera. Pueden ser solubles al agua o en alcohol. Deben aplicarse siempre con guantes.

Cera amarilla en crema (A), cabos de algodón (B), trapo de algodón (C).

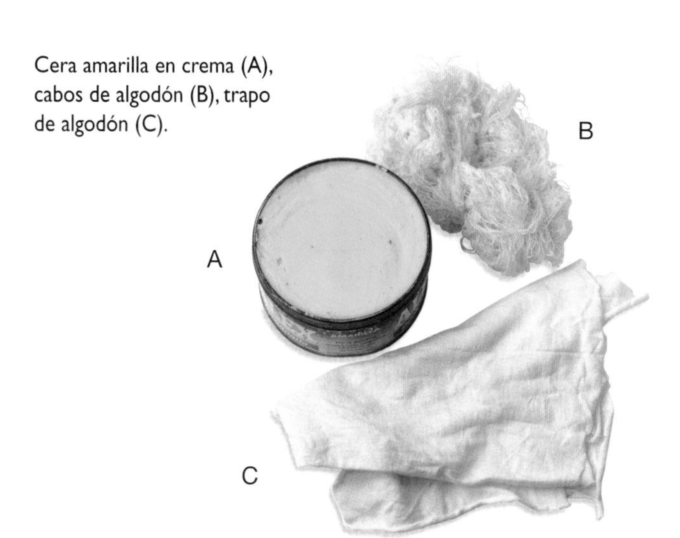

Anilinas solubles en alcohol.

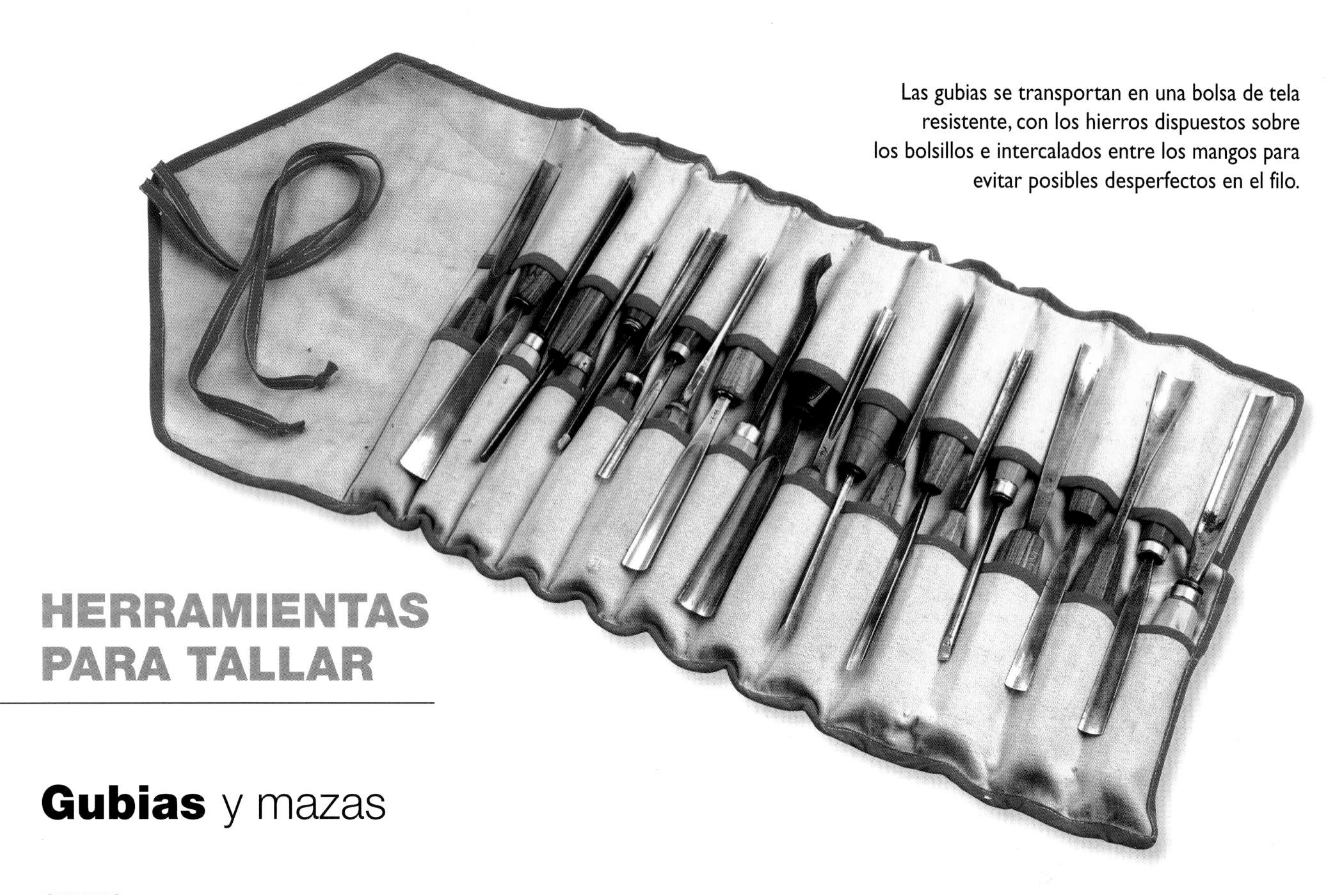

Las gubias se transportan en una bolsa de tela resistente, con los hierros dispuestos sobre los bolsillos e intercalados entre los mangos para evitar posibles desperfectos en el filo.

HERRAMIENTAS PARA TALLAR

Gubias y mazas

GUBIAS

Las gubias son las herramientas fundamentales para la talla de madera. Consisten en una hoja de acero (acero de cromo vanadio) templado laminado con diferentes perfiles o formas y un mango de madera. Suelen tener hojas de entre 110 y 135 mm de largo y la herramienta completa mide entre 245 y 270 mm de largo, aunque varían dependiendo del fabricante. También existen herramientas de menor tamaño, pero sólo son indicadas para usos especiales. Existe una gran variedad de gubias, según la forma de corte o huella que producen al tallar la madera y la forma de la hoja; los modelos varían dependiendo del fabricante, por lo que es posible encontrar en el mercado un amplísimo surtido.
Las gubias están formadas por la hoja (también denominada hierro) y el mango. El hierro acaba, en uno de sus extremos, en una punta, denominada espiga, que se inserta en el interior de la pieza de madera que configura el mango. La parte longitudinal, esto es, la hoja propiamente dicha, está separada de la espiga por el hombro y se denomina pala o caña. La pala acaba en su extremo en un perfil de corte (denominado boca) de bisel dotado de filo que produce el corte de la madera.

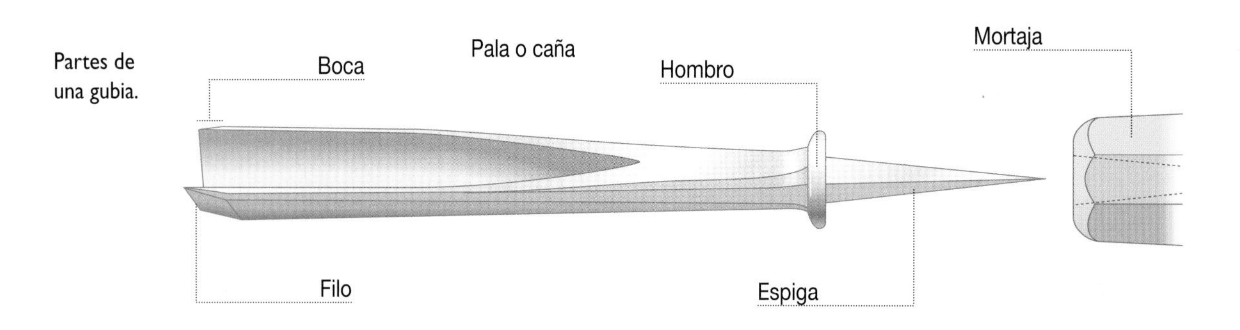

Partes de una gubia.

Talladora eléctrica y diversas gubias.

TALLADORAS ELÉCTRICAS Y NEUMÁTICAS

Aparte de las gubias convencionales, existen también unas máquinas denominadas talladoras. En esencia, son aparatos provistos de un portaherramientas en el que se insertan las gubias y que mediante un mecanismo imprime un movimiento de percusión a la herramienta.
Las talladoras pueden ser neumáticas o eléctricas; estas últimas consisten en un motor con mecanismo de percusión que actúa sobre el portaherramientas y está provisto de un dispositivo electrónico que sirve para aumentar o disminuir la frecuencia de percusión.
Las neumáticas están formadas por un mango (mecanismo percutor y portaherramientas) situado en el extremo de una manguera flexible que le suministra la energía (aire) para su funcionamiento procedente de un compresor. Es posible controlar la frecuencia de percusión mediante una válvula que regula el paso de aire. Su mayor inconveniente radica en el ruido que produce el compresor de aire.

MAZAS

Aunque el trabajo de talla con gubias se realiza ejerciendo fuerza con la mano, en ocasiones es necesario usar una maza. Las mazas se emplean para golpear la parte superior de los mangos de las gubias a fin de producir el avance del corte.

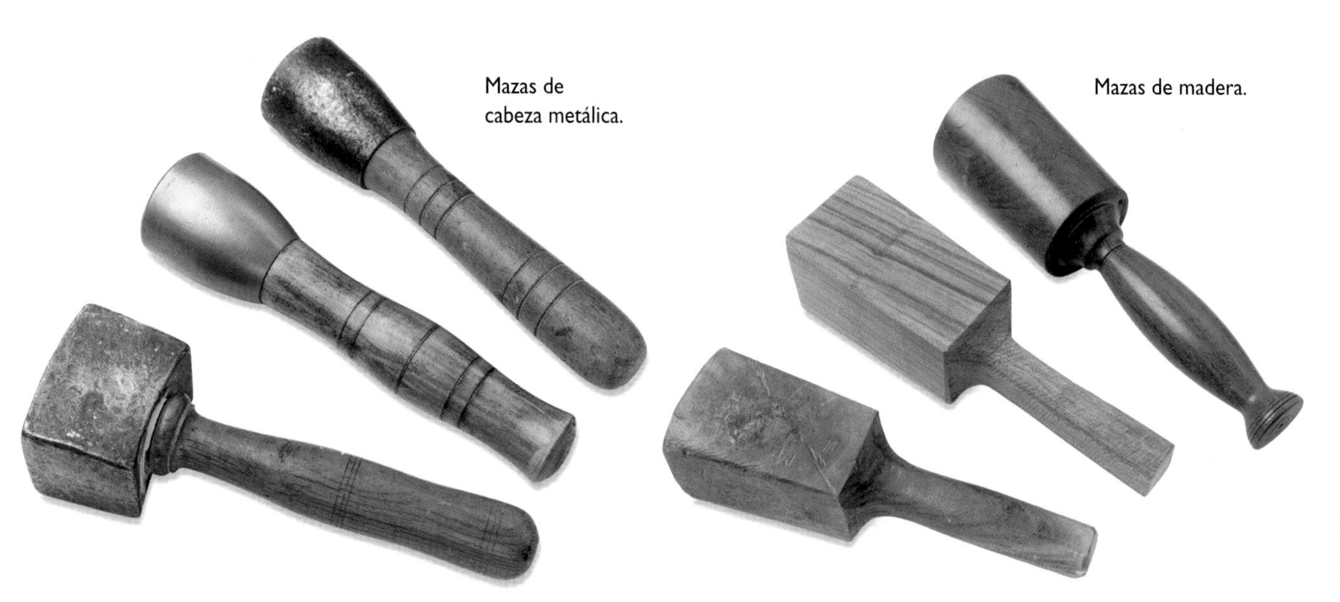

Mazas de cabeza metálica.

Mazas de madera.

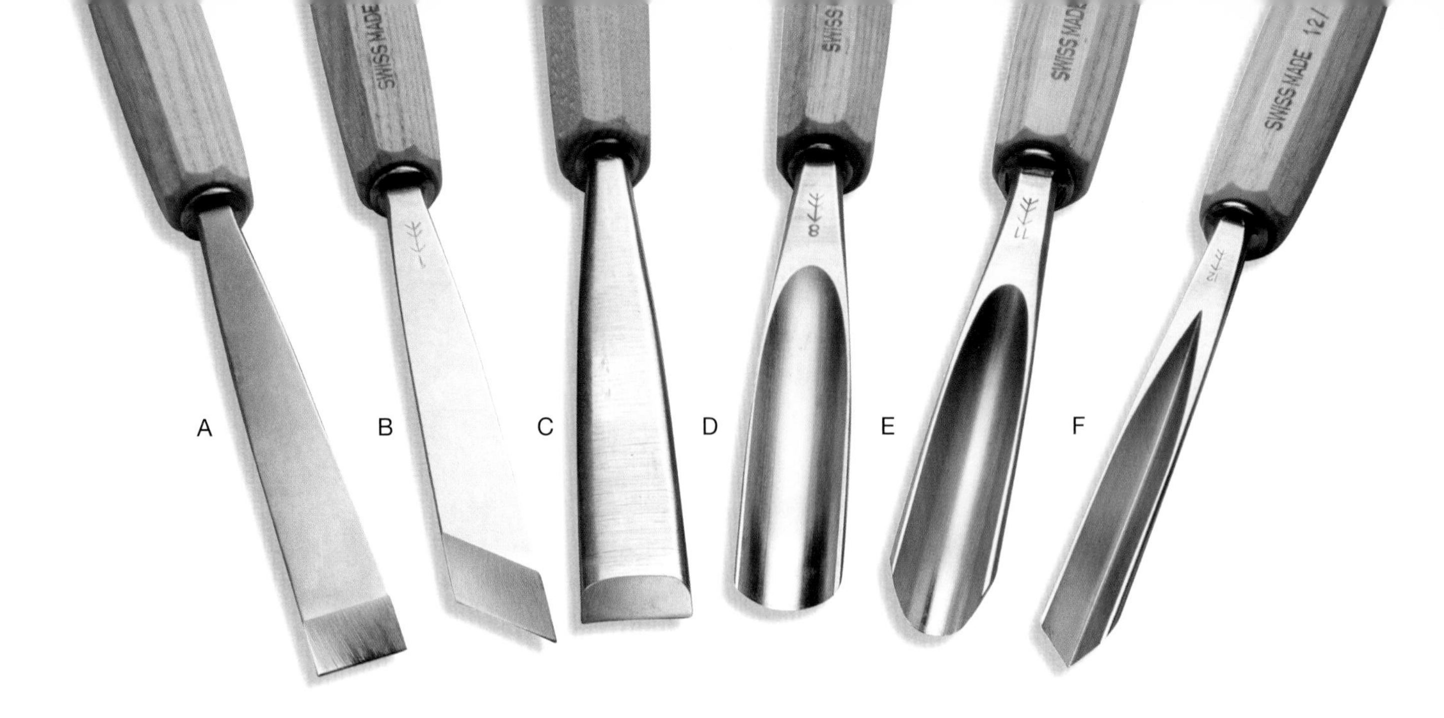

Variedades de gubias

Gubias de pala recta: boca plana de dos biseles (A), boca plana en ángulo (B), boca entreplana (C), boca de media caña (D), boca de cañón (E), boca en V (F).

Las variedades de gubias dependen de la combinación de los diferentes modelos de palas y de bocas. Pueden tener pala recta, curva, de codillo (ostentan la curvatura en la parte final de la pala y el corte del extremo curvado presenta bisel hacia arriba) y de contracodillo (presentan también curvatura en la parte final de la pala, pero invertida respecto de las de codillo, el corte del extremo curvado está situado debajo de la curvatura de la pala). Las bocas pueden ser planas, entreplanas, de media caña, de cañón (denominada también canuto) o en V (denominada también pico de gorrión o de esquina); su anchura varía desde los 2 mm hasta los 30 o 35 mm, dependiendo del modelo y el fabricante.

Las gubias de boca plana pueden ser rectas o en ángulo, con el corte inclinado. Asimismo, presentan un solo bisel o doble bisel. Las gubias con boca en V muestran diversos ángulos, que oscilan entre los 35 y los 90°.

Gubia de codillo de boca plana (A), gubia de contracodillo entreplana (B), gubia de codillo de mediacaña (C).

VARIEDADES DE GUBIAS MÁS USUALES

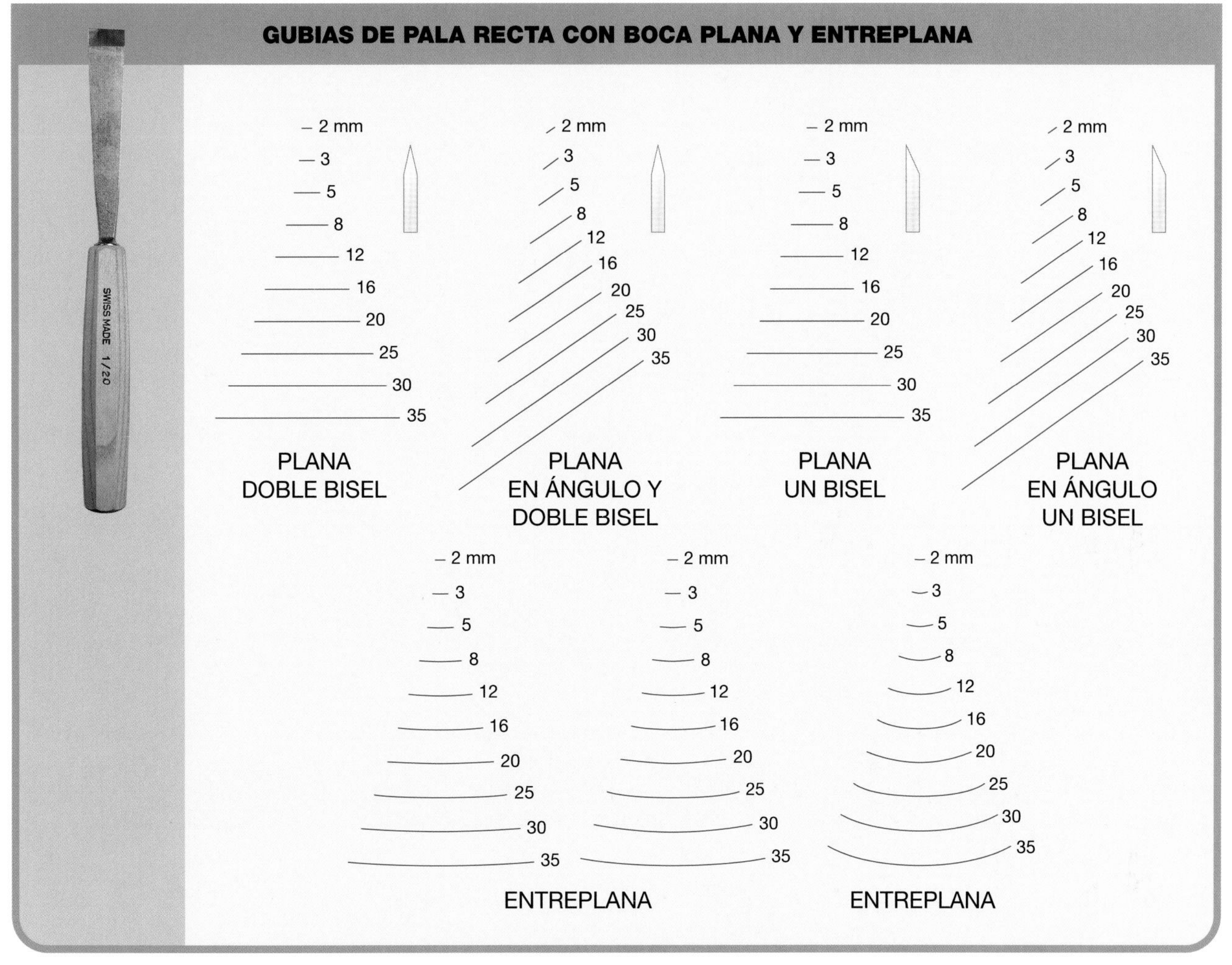

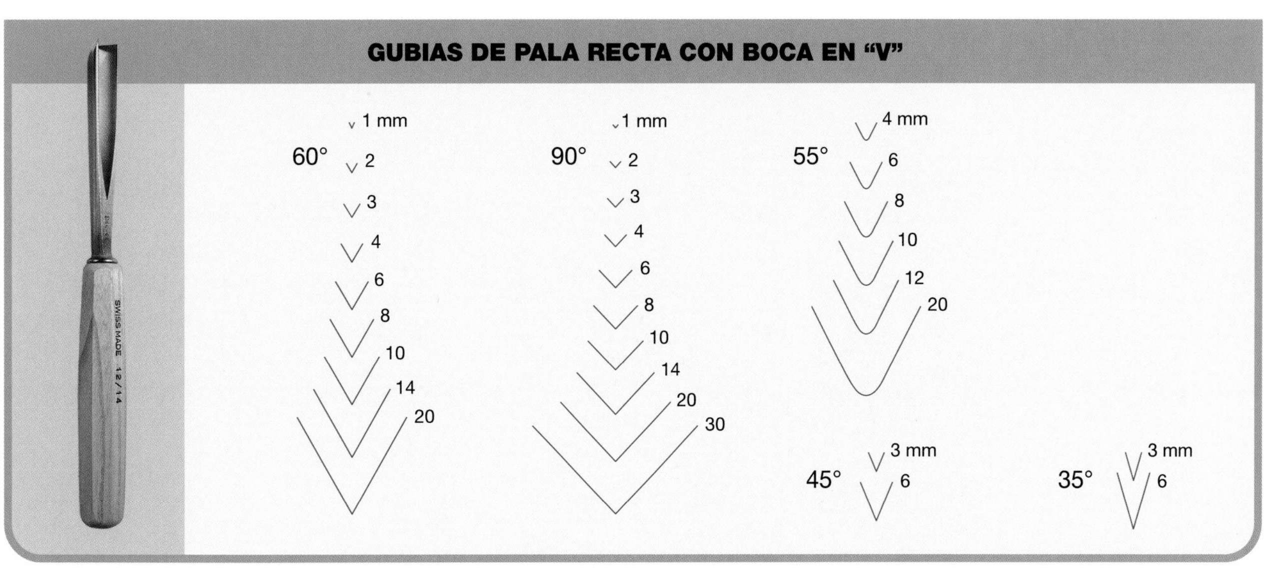

GUBIAS DE PALA RECTA CON BOCA DE MEDIA CAÑA Y DE CAÑÓN

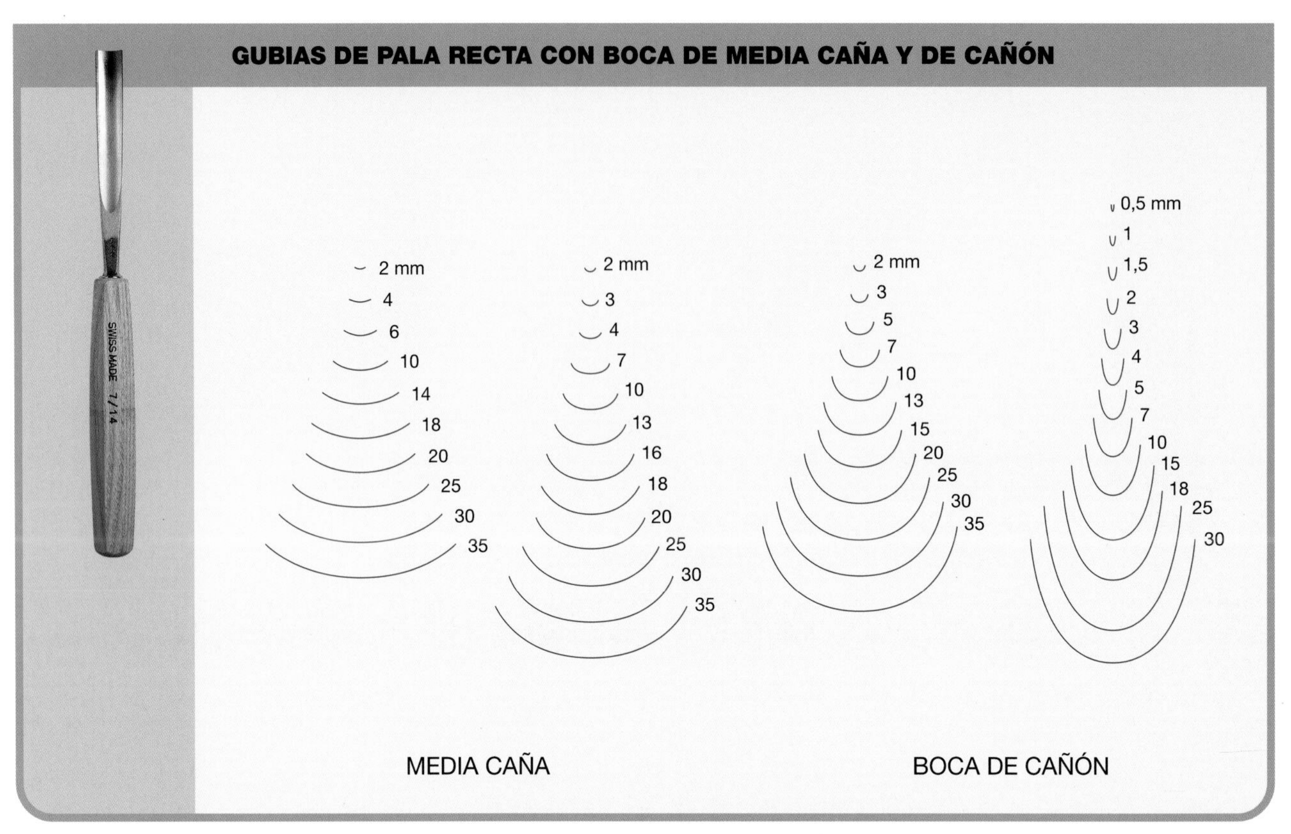

GUBIAS DE PALA CURVA CON BOCA DE MEDIA CAÑA Y EN "V"

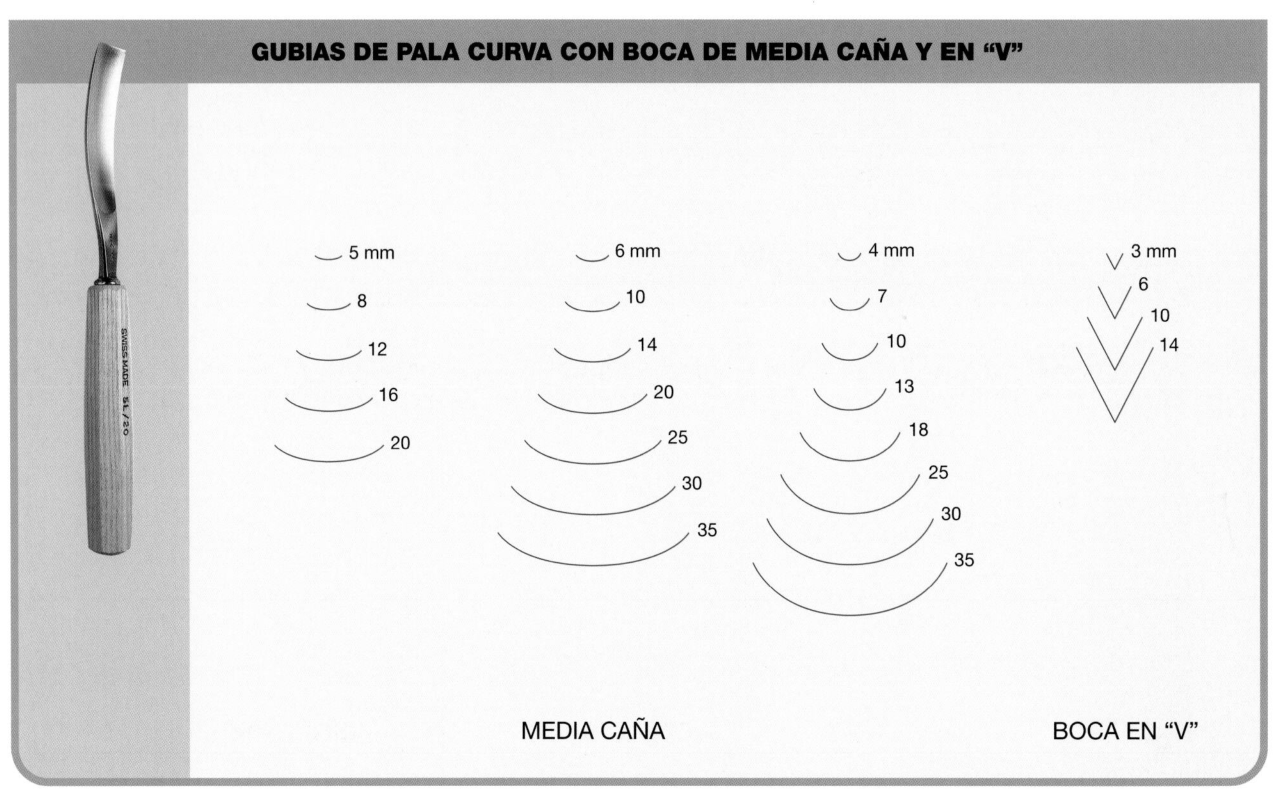

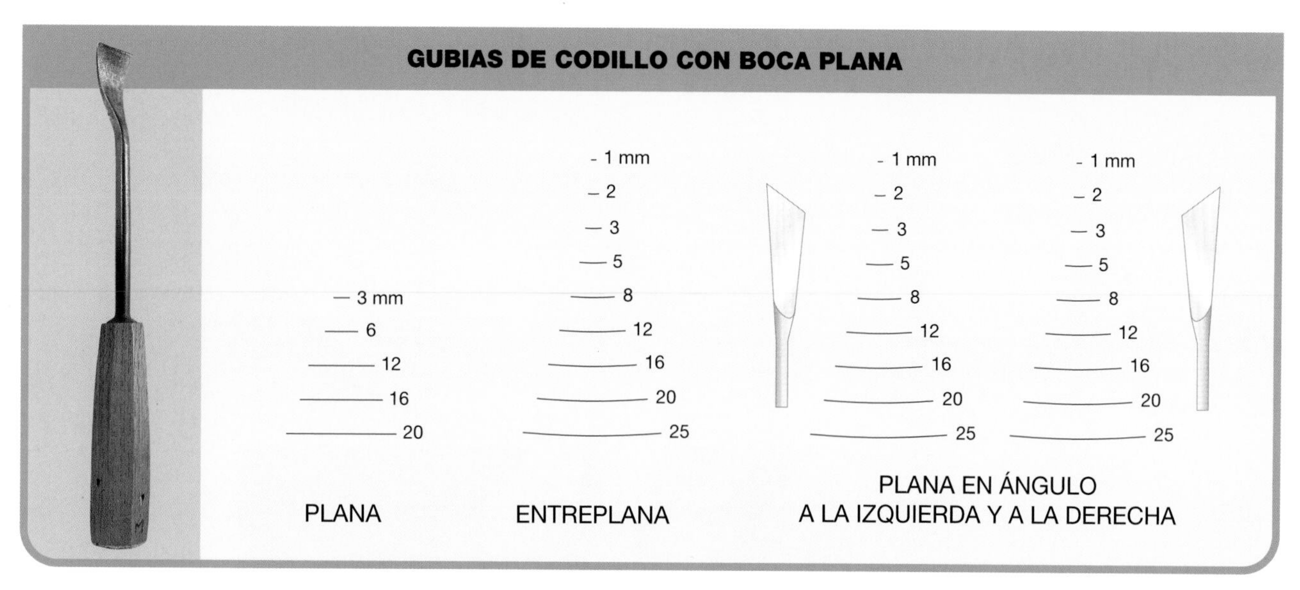
GUBIAS DE CODILLO CON BOCA PLANA
3 mm
6
12
16
20
PLANA
1 mm
2
3
5
8
12
16
20
25
ENTREPLANA
1 mm
2
3
5
8
12
16
20
25
1 mm
2
3
5
8
12
16
20
25
PLANA EN ÁNGULO
A LA IZQUIERDA Y A LA DERECHA

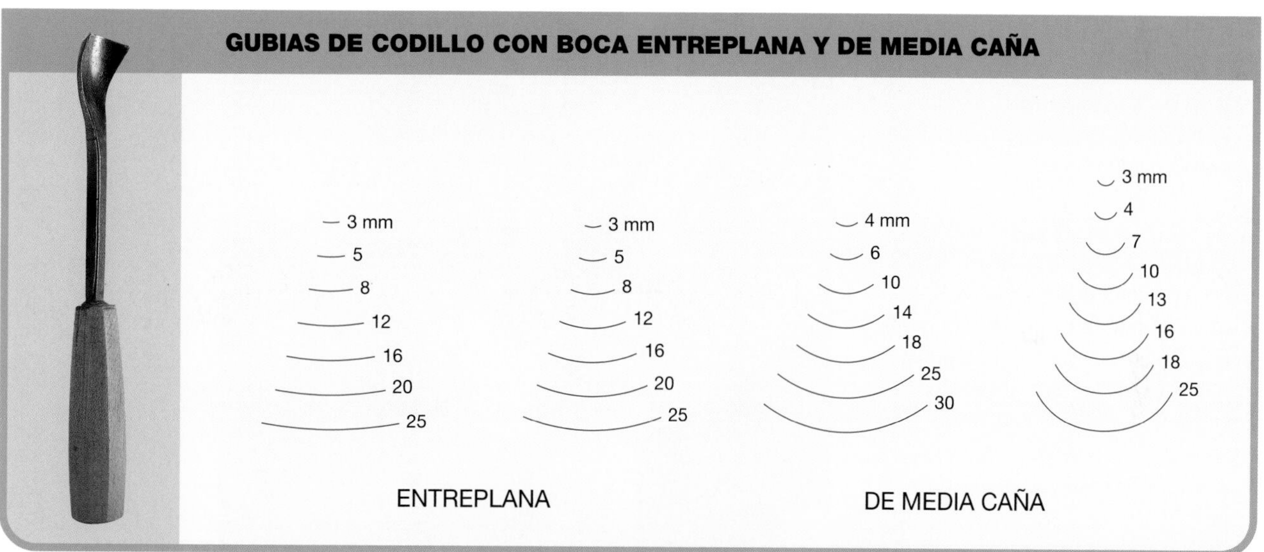
GUBIAS DE CODILLO CON BOCA ENTREPLANA Y DE MEDIA CAÑA
3 mm
5
8
12
16
20
25
3 mm
5
8
12
16
20
25
ENTREPLANA
4 mm
6
10
14
18
25
30
3 mm
4
7
10
13
16
18
25
DE MEDIA CAÑA

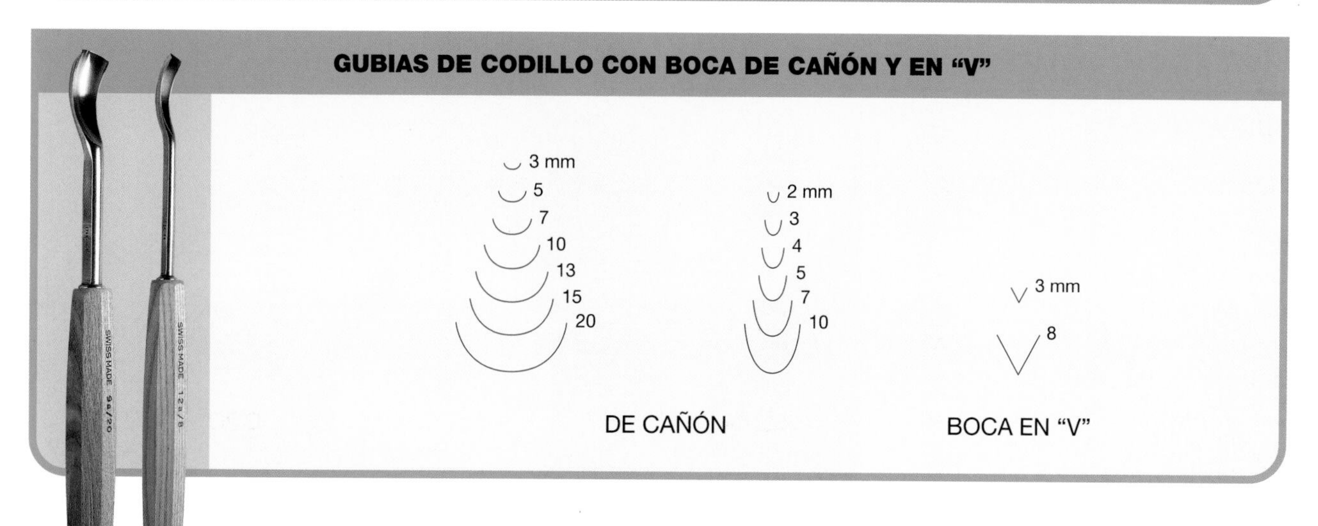
GUBIAS DE CODILLO CON BOCA DE CAÑÓN Y EN "V"
SWISS MADE
3 mm
5
7
10
13
15
20
2 mm
3
4
5
7
10
DE CAÑÓN
3 mm
8
BOCA EN "V"

Materiales y herramientas

Mantenimiento de las gubias

1

SUSTITUCIÓN DE MANGOS

Un problema habitual causado por el uso continuado de las gubias es la rotura del mango. La sustitución de un mango roto o en mal estado por otro nuevo no entraña ninguna dificultad. Para ello, se sujeta firmemente la gubia al banco de trabajo con un sargento, y a continuación se extrae el mango en mal estado mediante percusión y se fija el nuevo clavando la espiga.

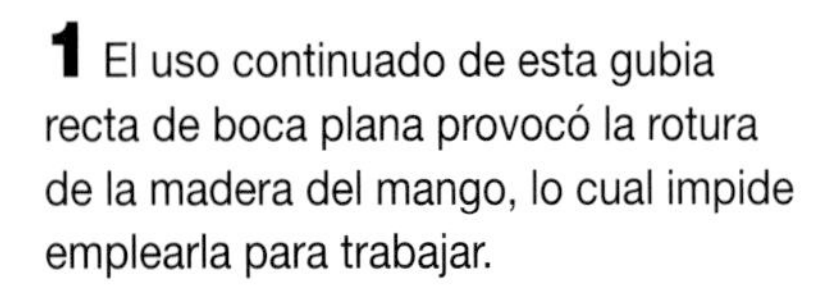

2

1 El uso continuado de esta gubia recta de boca plana provocó la rotura de la madera del mango, lo cual impide emplearla para trabajar.

2 Se sujeta la gubia al banco de trabajo, fijándola firmemente por su pala con un sargento, con el mango hacia el exterior. Se sitúa la pala de otra gubia en ángulo entre el hombro de la gubia y la virola del mango. Se golpea con el martillo el canto de la pala hacia el exterior; el mango cede y se separa de la hoja de la gubia sin problemas.

3 Se fija el nuevo mango clavando la espiga a la madera. Para ello, se sitúa el mango perfectamente centrado y se fija golpeando su parte posterior con el martillo.

3

LIMPIEZA Y ELIMINACIÓN DE ÓXIDO

El mantenimiento o almacenamiento inadecuado de las gubias conlleva la oxidación superficial del metal. En estos casos, es imprescindible eliminar la capa de óxido para mantener la herramienta en perfecto estado y evitar problemas posteriores. El óxido se elimina mediante un proceso mecánico, es decir, se extrae frotando la superficie del metal con un abrasivo, hasta su completa eliminación.

1 Esta gubia de pala recta y boca de media caña presenta manchas de óxido causadas por un mantenimiento deficiente.

2 La capa de óxido se elimina frotando las superficies de la pala con un papel de lija de grano muy fino (en este caso, del número 000), que debe ser, necesariamente, una lija usada con anterioridad. De esta manera, el grano del abrasivo ya ha sido rebajado y se evita rayar la superficie del metal. También se puede utilizar papel de lija para metales (papel de color azul con una de sus caras negras) mojado en aceite.

3 Finalmente, se eliminan los restos de óxido y se pule la superficie del metal frotando con un pequeño manojo de lana de acero fina, del número 000. Se elimina el polvo de la superficie de la gubia con un trapo de algodón.

Es posible efectuar el amolado y afilado con un taladro provisto de una muela. Para ello, se sujeta firmemente el taladro con un sargento a la mesa de trabajo. En el caso de gubias de media caña, se gira la herramienta imprimiendo un movimiento rotatorio que sigue el perfil o perímetro de la boca, manteniendo el ángulo adecuado.

PROCESO DE AFILADO

El problema más habitual que presentan las gubias es el desgaste del filo, producido por el uso continuado de las herramientas, aunque a veces el filo también se mella a causa de un uso o manipulación inadecuados. Asimismo, el almacenamiento incorrecto puede provocar el despunte del filo a causa de golpes de los hierros entre sí, de ahí la importancia de situar las gubias sobre el banco durante el trabajo intercalando los hierros con los mangos de madera. El correcto afilado es fundamental para desarrollar adecuadamente el trabajo de talla, pues facilita el dominio de la herramienta, a la vez que permite conseguir cortes limpios, redundando en la adecuada progresión y calidad del trabajo. El proceso de afilado, esto es, restaurar el filo de la herramienta, o sacar punta a la gubia, comprende tres pasos: amolado, afilado y afinado.

Amolado

Algunas gubias presentan mellas o desperfectos considerables en el filo; para eliminarlos hay que someterlas a un proceso de amolado. El amolado consiste en pulir la boca eliminando la zona que presenta desperfectos, retrocediendo el filo y el bisel. Esta operación se realiza con la amoladora eléctrica, dotada de discos de esmeril adecuados y refrigerados, aunque también pueden emplearse otras máquinas, como un taladro provisto de una piedra de amolar. El uso de la amoladora requiere práctica, pues la pala debe mantener una inclinación constante de 45° respecto del disco y permanecer recta mientras se desliza transversalmente. Las amoladoras sin dispositivos de refrigeración presentan un problema añadido: el calentamiento excesivo de la hoja a causa de la fricción con el disco puede provocar el destemple de la misma; como consecuencia de ello, la herramienta pierde sus propiedades de dureza y se torna quebradiza. Este problema se solventa introduciendo frecuentemente la hoja de la gubia en un recipiente con agua durante el amolado.

Afilado

El afilado consiste en restaurar el filo de la herramienta mediante el pulido y alisado del bisel. Se realiza sobre una piedra de afilar previamente cubierta con aceite mineral, frotando el bisel con movimiento de vaivén lateral.
Es esencial imprimir el movimiento sin variar el ángulo del bisel. El afilado crea una rebaba, una pequeña protuberancia que se aprecia al tacto, y que sobresale ligeramente por la cara plana del filo. La rebaba se elimina por medio del afinado.

Las gubias con boca de media caña se afilan girando la pala a la vez que se frota el bisel con un movimiento transversal sobre la piedra de afilar a la que previamente se ha aplicado aceite.

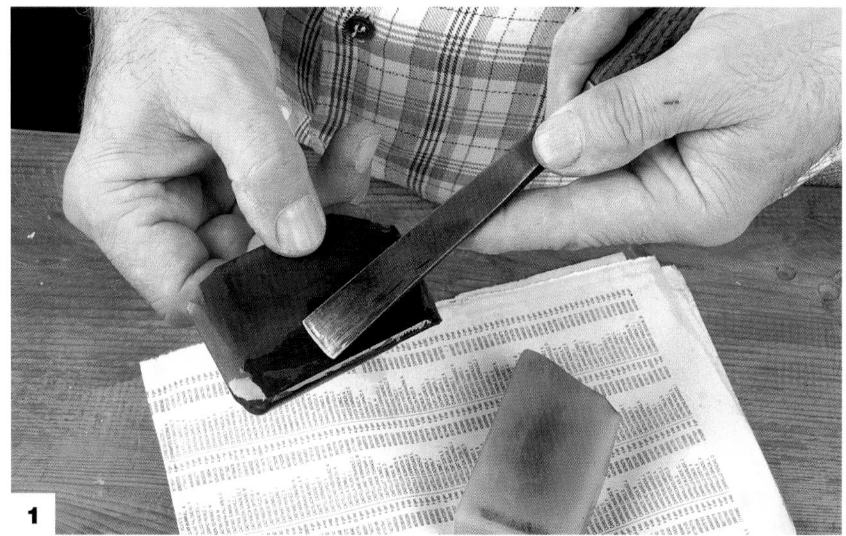
1

2

Afinado
Mediante el afinado se asienta el bisel, hasta conseguir el filo adecuado. Se trata de eliminar la rebaba empleando piedras de afilar de grano muy fino. Se pasa la gubia sobre la piedra a la que se le ha aplicado aceite mineral; se asienta primero el lado del bisel y luego la cara interna hasta que desaparezca por completo la rebaba. También es posible realizar el afinado de modo mecánico.

1 Se asienta primero el lado del bisel de la gubia efectuando movimientos de adelante hacia atrás sobre la piedra con aceite.

2 Luego, se asienta el lado de la cara. Se repiten estas operaciones hasta eliminar por completo la rebaba y conseguir el afilado perfecto.

Para realizar un afinado mecánico se sitúa un taladro, provisto de un disco de fieltro, en el banco de trabajo y se fija firmemente con un sargento. Se pone en marcha y se aplica pasta pulidora para metales sobre la superficie del disco. Seguidamente, se aplica la herramienta según el proceso descrito. El disco debe girar hacia el exterior a una velocidad moderada, por lo que conviene regular el taladro a tal efecto.

En el caso de gubias de boca de media caña o cañón, el afinado o asentado de la cara interior se realiza pasando (también de adelante hacia atrás) una piedra con la forma que se adapta al interior de la pala.

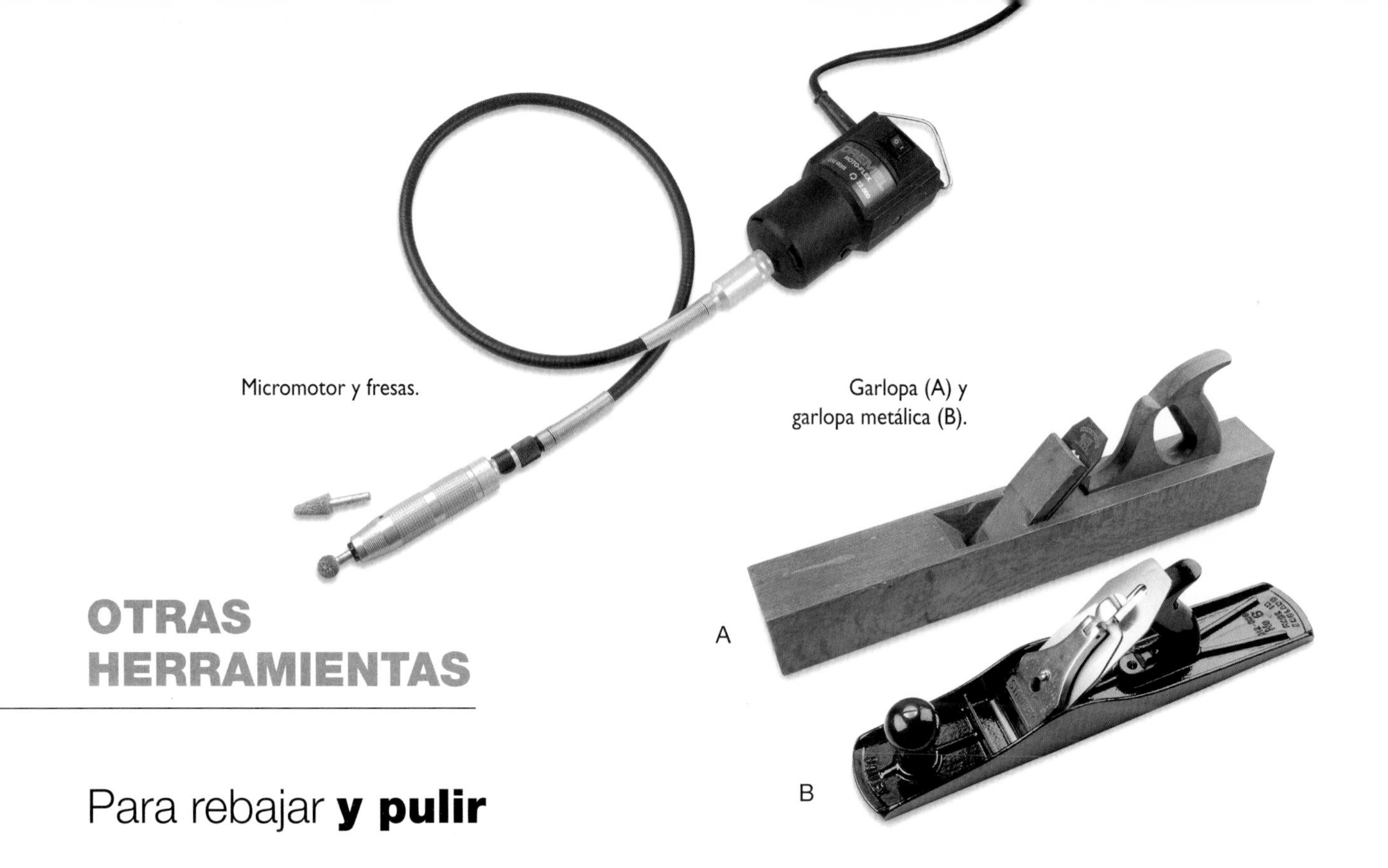
Micromotor y fresas.

Garlopa (A) y garlopa metálica (B).

OTRAS HERRAMIENTAS

Para rebajar **y pulir**

Micromotor: es una herramienta eléctrica de pequeñas dimensiones dotada de un portabrocas en su extremo al que se le puede acoplar infinidad de fresas, discos y brocas, entre otros. Gracias a su potente motor las brocas giran con una gran rapidez, permitiendo realizar trabajos de gran precisión. Se emplea para rebajar y pulir pequeñas superficies, así como rincones de difícil acceso.

Cepillo: se usa para rebajar, desbastar y pulir la madera. Existen también cepillos dotados de un cuerpo metálico, que permiten mayor precisión, así como cepillos eléctricos con los que es posible pulir de manera eficiente grandes zonas. Una variedad especial de cepillos son los provistos de una hoja con el filo dentado. Éstos se emplean para preparar la superficie de las maderas que deben encolarse juntas, generando acanaladuras para facilitar el agarre y correcto encolado.

Garlopa: las garlopas son cepillos largos, provistos de un mango y con hoja de corte o cuchilla. Se emplean para el mismo fin que los anteriores, aunque éstas permiten cepillar grandes zonas, y al igual que aquéllos, pueden tener un cuerpo de madera o ser completamente metálicas.

Escofina: herramienta formada por una hoja de acero templado, y provista de mango. La hoja presenta ambas caras ordenadamente dentadas con dientes gruesos y triangulares separados entre sí. Se utiliza para desbastar, rebajar, raspar y pulir. Existe una gran variedad de escofinas, según la sección de la hoja y el tamaño de su dentado, de modo que es posible escoger en cada momento

Cepillo eléctrico.

Detalle de la hoja de un cepillo de dientes.

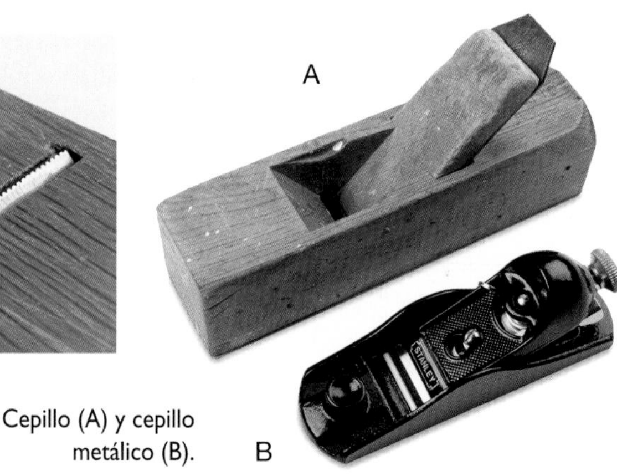
Cepillo (A) y cepillo metálico (B).

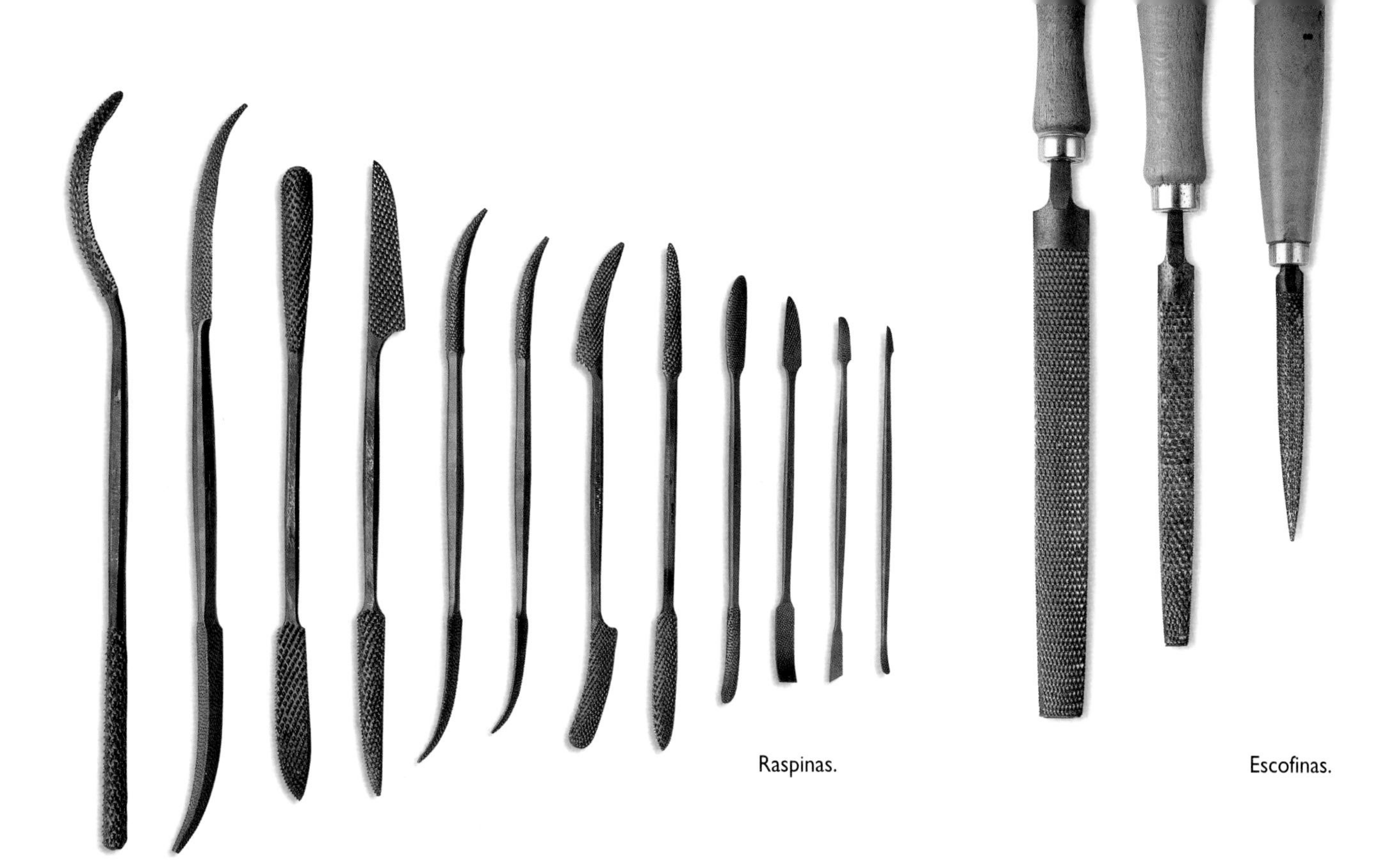
Raspinas.

Escofinas.

la más adecuada para el trabajo que se desea realizar. También hay escofinas de hojas intercambiables; éstas son herramientas compuestas por un cuerpo metálico al que se fija la hoja y un mango, también intercambiable, que se puede disponer en la dirección de la hoja o en la contraria, en función del trabajo que se deba realizar.

Lima: las limas son herramientas similares a las escofinas, aunque la hoja es ranurada y presenta una superficie de menor relieve. Las limas pueden ser de dentado simple, con dientes alargados y paralelos entre sí dispuestos en ángulo respecto del eje de la herramienta, o de dentado entrecruzado, con dos filas de dientes que se cruzan en diferentes ángulos. Se emplean para acabar de perfilar y pulir la superficie de la madera, pues elimina las asperezas dejadas por la escofina.

Limatón: también denominado cola de rata, es una escofina o lima (dependiendo del diente) de perfil cilíndrico que se estrecha en la punta. Se emplea para trabajar detalles y pequeñas zonas.

Raspinas: son herramientas metálicas provistas de una punta de lima o escofina en cada extremo. Se usan para pulidos y acabados minuciosos, así como para eliminar las marcas dejadas por la escofina.

Cuchilla: es una hoja de acero templado semiduro y de calidad. Suele ser rectangular, aunque las hay de diferentes formas para adaptarse a distintas superficies. Se emplean para pulidos finales.

Cuchillas.

Escofinas de hojas intercambiables con distintas posiciones de mango (A) y hoja (B).

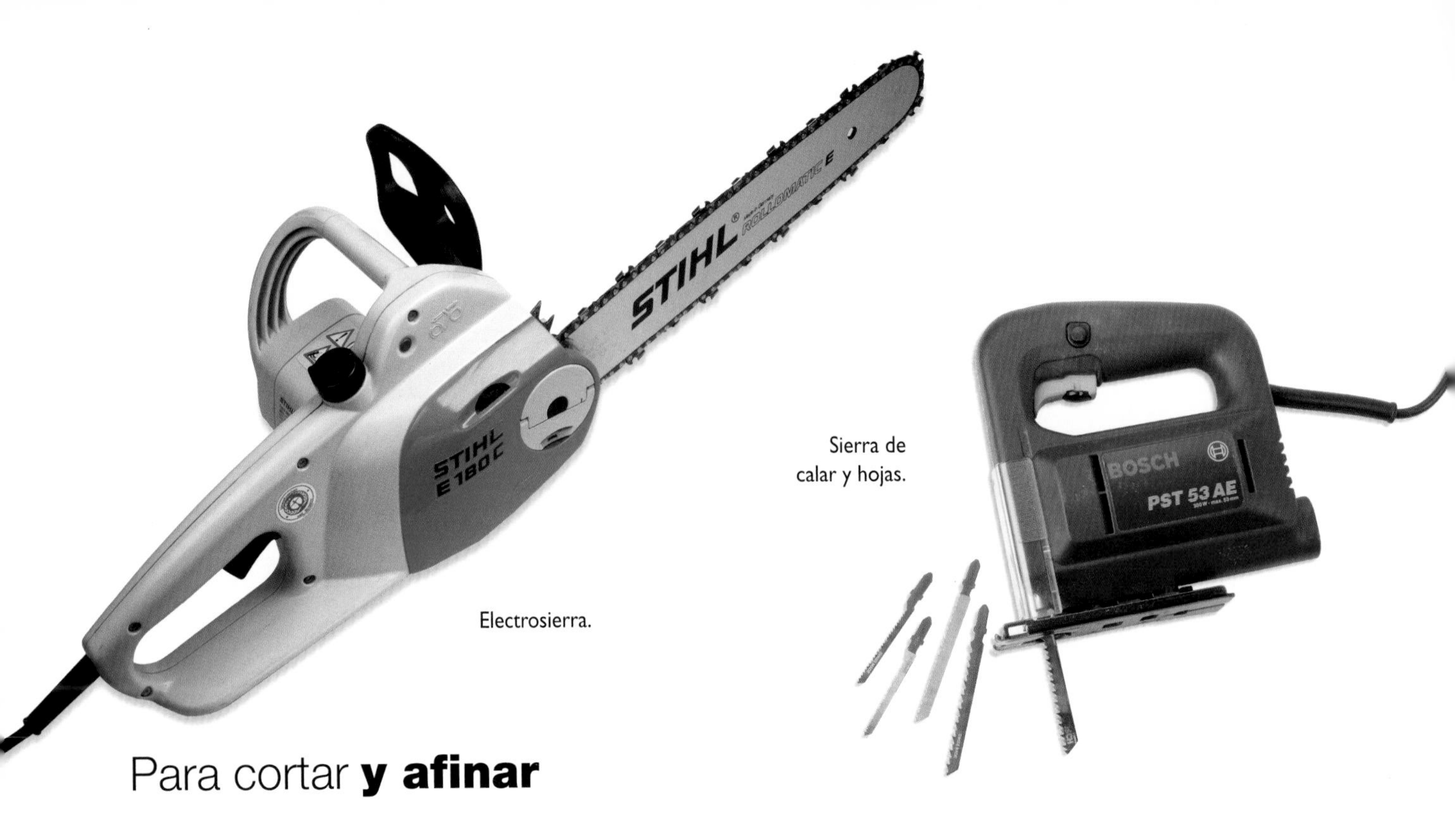

Electrosierra.

Sierra de calar y hojas.

Para cortar **y afinar**

Sierra: las sierras son herramientas con una hoja de acero templado dentada con dientes triangulares y triscados en uno de sus cantos. Se emplean para realizar cortes mediante movimientos de vaivén. Existe una gran variedad de sierras y serruchos (una variedad de éstas, provistos de una hoja más ancha que las primeras), lo que permite elegir en cada momento la herramienta más adecuada para el trabajo que se desea desarrollar. El serrucho, también denominado serrucho de trozar, presenta una hoja ancha, robusta y rígida, con los extremos convergentes; se emplea para cortes extensos. El serrucho de costilla, provisto de un refuerzo en el lomo, permite conseguir cortes de mayor precisión que el serrucho. El serrucho de calar permite obtener cortes redondos o en curva.

Electrosierra: es una sierra eléctrica provista de un motor. Las motosierras son herramientas muy potentes que permiten efectuar cortes de manera fácil y rápida. Los modelos más recientes ofrecen importantes medidas de seguridad, siendo imprescindible seguir las instrucciones del fabricante en cuanto a su manejo y protección personal. Existen numerosos modelos de motosierras con diferentes longitudes de corte, dependiendo del modelo y el fabricante.

Sierra de calar: también denominada sierra de vaivén, es un instrumento eléctrico que permite un serrado rápido y la consecución de grandes cortes. Su funcionamiento se basa en el movimiento de subida y bajada de una hoja dentada que produce el corte. Las hojas son intercambiables, de modo que se puede elegir la más adecuada (tamaño y dentado) dependiendo del corte que se necesite realizar.

Serrucho (A), serrucho de costilla (B) y serrucho de calar (C).

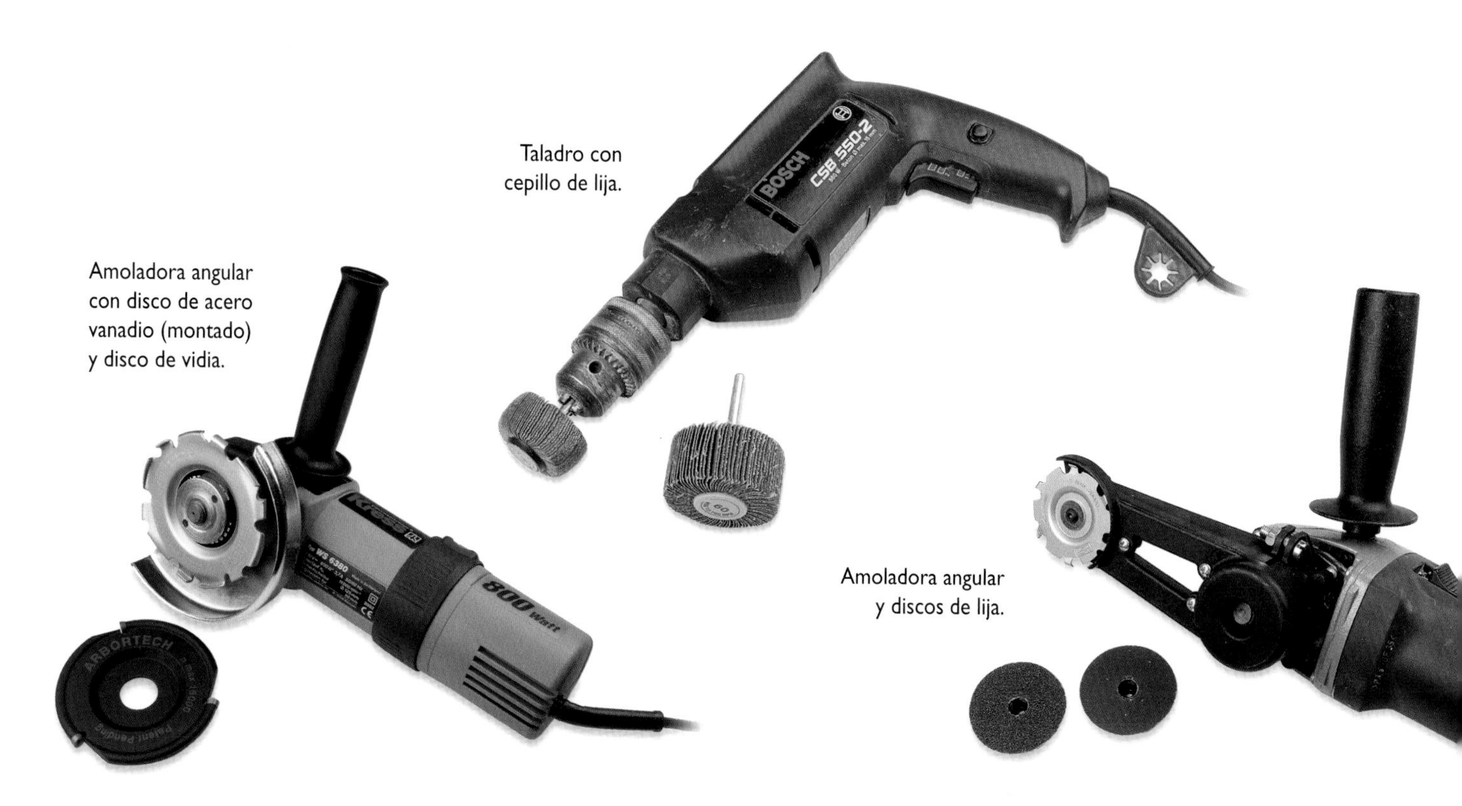

Taladro con cepillo de lija.

Amoladora angular con disco de acero vanadio (montado) y disco de vidia.

Amoladora angular y discos de lija.

Existen modelos electrónicos que pueden incorporar limitadores de velocidad y la posibilidad de movimiento pendular de la hoja para acelerar cortes rectos.

Amoladora angular: también denominada radial, es una herramienta eléctrica de gran potencia provista de un eje sobre el que se monta un disco de corte. Éste gira a gran velocidad permitiendo cortar y rebajar de manera rápida y eficiente la madera.

La amoladora puede emplearse también para pulir y lijar la superficie de la madera, utilizando discos de lija montados sobre un soporte específico.

Lijadora: las lijadoras son máquinas eléctricas que permiten lijar grandes superficies sin esfuerzo. Pueden ser orbitales, en las que el disco gira, o de banda, provistas de una banda cerrada de lija. Una evolución de las lijadoras de banda son las denominadas de mini banda; en esencia, son similares a las anteriores, pero están provistas de una banda de lija estrecha y un accesorio que permite acceder a lugares difíciles.

Otras herramientas: existen otras herramientas que, provistas de los accesorios adecuados, se pueden emplear para trabajos finales de lijado; por ejemplo, micromotores dotados de fresas específicas para lijado o taladros de uso común en bricolaje con disco de lija o cepillo de lija montados en el portabrocas.

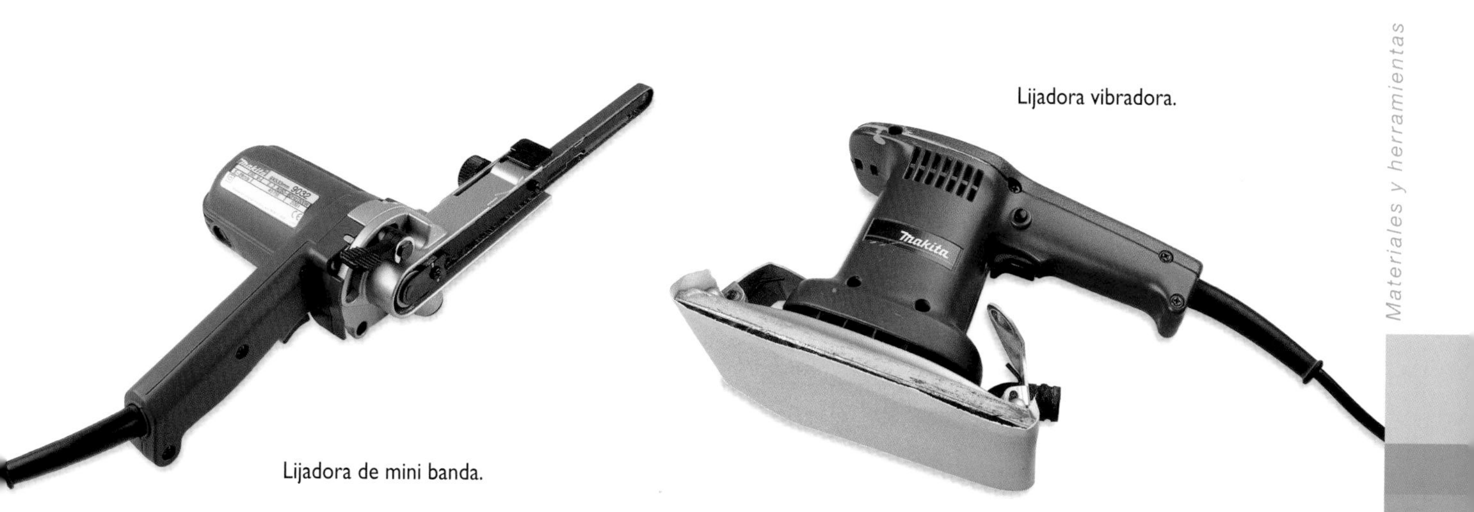

Lijadora vibradora.

Lijadora de mini banda.

SEGURIDAD

La protección personal es el aspecto fundamental de la seguridad. Para evitar las molestias causadas por las partículas que desprenden las herramientas de trabajo, es recomendable emplear mascarillas antipolvo. Hay que utilizar siempre mascarillas homologadas y que no rebasen la fecha de caducidad reseñada por el fabricante. El uso de determinada maquinaria eléctrica puede requerir el empleo de guantes, habitualmente de piel gruesa, para proteger las manos, protectores de oídos, así como gafas para evitar que las partículas o astillas lastimen nuestros ojos.
También son muy adecuados los cascos de seguridad con estructura de plástico resistente, provistos de una rejilla de metal para proteger la cara y protectores para los oídos.

Casco de seguridad.

Guantes, protector de oídos, gafas y mascarilla.

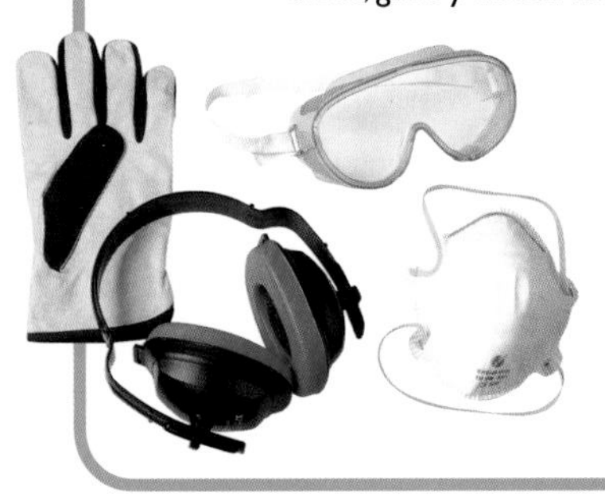

Tornillo fijo.

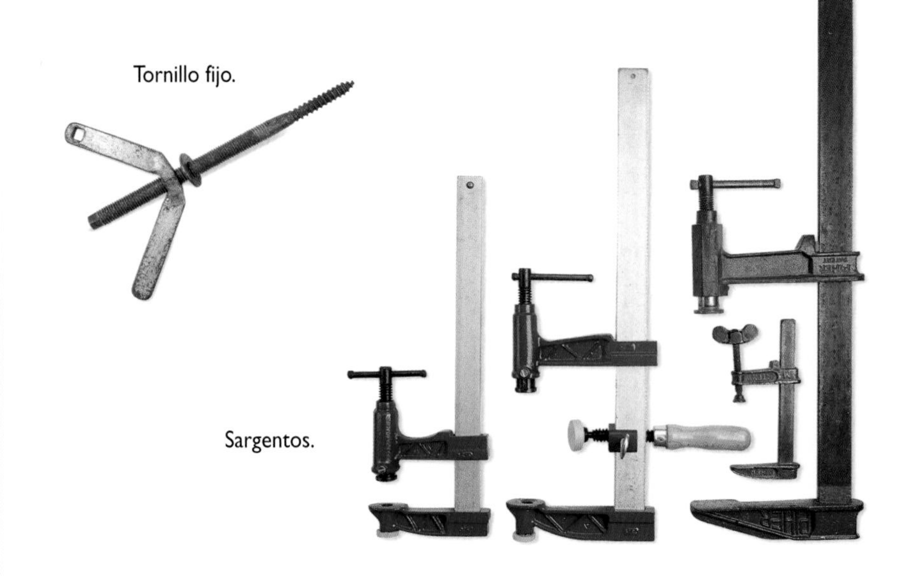

Sargentos.

Para sujetar **y apretar**

Tornillo de modelista: se emplea para sujetar la madera durante el proceso de talla. Es una herramienta de hierro que se fija firmemente al banco de trabajo con un gato o sargento y está provista de una mordaza en la parte superior que se aprieta mediante un sistema de rosca. Posee también una base giratoria que permite trabajar desde todos los ángulos.
Sargentos: también denominados gatos, son instrumentos de hierro formados por una guía sobre la que se desliza uno de los topes o brazo mientras el otro se mantiene fijo.
Se fijan apretando el brazo movible con un husillo provisto de un sistema de rosca. Se emplean para apretar las piezas encoladas durante los trabajos de preparación y para fijar la madera durante los procesos de talla.
Tornillo fijo: el tornillo fijo o tornillo fijo de tallista sirve para fijar la pieza de madera sobre el banco de trabajo.
Es un utensilio muy sencillo que consiste en un huso cilíndrico con rosca provisto de una palomilla. El tornillo se dispone atravesando la superficie del banco de trabajo y se fija roscándolo a la parte inferior de la madera para talla; luego, se aprieta la palomilla situada bajo el banco para que quede firmemente sujeto.

Tornillo de modelista.

HERRAMIENTAS AUXILIARES

Gramil: es un instrumento de madera que permite trazar líneas paralelas sobre la madera.

Instrumentos de medición: se emplean para medir, señalar y comprobar las medidas en determinadas fases del proceso de talla. El metro y la regla se usan para efectuar mediciones, mientras que las escuadras se utilizan para comprobar ángulos rectos y trasladar medidas.

Amoladora de banco: se emplea para afilar y afinar las herramientas de corte. Herramienta eléctrica que se fija al banco o superficie de trabajo dotada de un potente motor que imprime movimiento a las muelas, las cuales giran a gran velocidad. Las amoladoras más indicadas son las que constan de dos muelas; habitualmente, la de color oscuro es para pulir y eliminar rebabas y la de color claro para afilar.

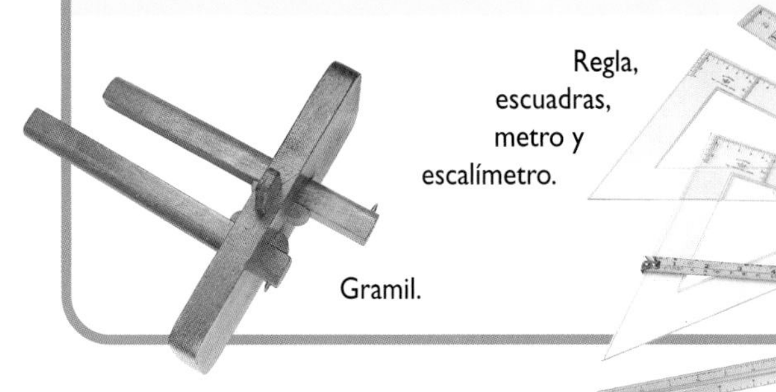

Gramil.

Regla, escuadras, metro y escalímetro.

Amoladora de banco.

Para **reproducir**

Compases: instrumentos, por lo general de hierro, formados por dos piernas unidas en su parte superior mediante un eje y que pueden abrirse y cerrarse para tomar medidas. Se emplean para tomar y pasar distancias en el método de reproducción a galga.

Máquina de puntos: se emplea en el método de reproducción por puntos para tomar y pasar puntos del modelo a la madera. La comúnmente denominada máquina de puntos es, de hecho, un instrumento formado por tres brazos articulados sujetos a una base de madera que se fija sobre el soporte o cruz durante el proceso.

Este instrumento, que suele estar fabricado por un metalista por encargo, es completamente articulado, y permite llegar a cualquier punto variando su disposición. Está formado por dos brazos de sección circular (los inferiores) que se fijan mediante tuercas y otro de sección cuadrada sujetado por un soporte que se fija mediante un tornillo.

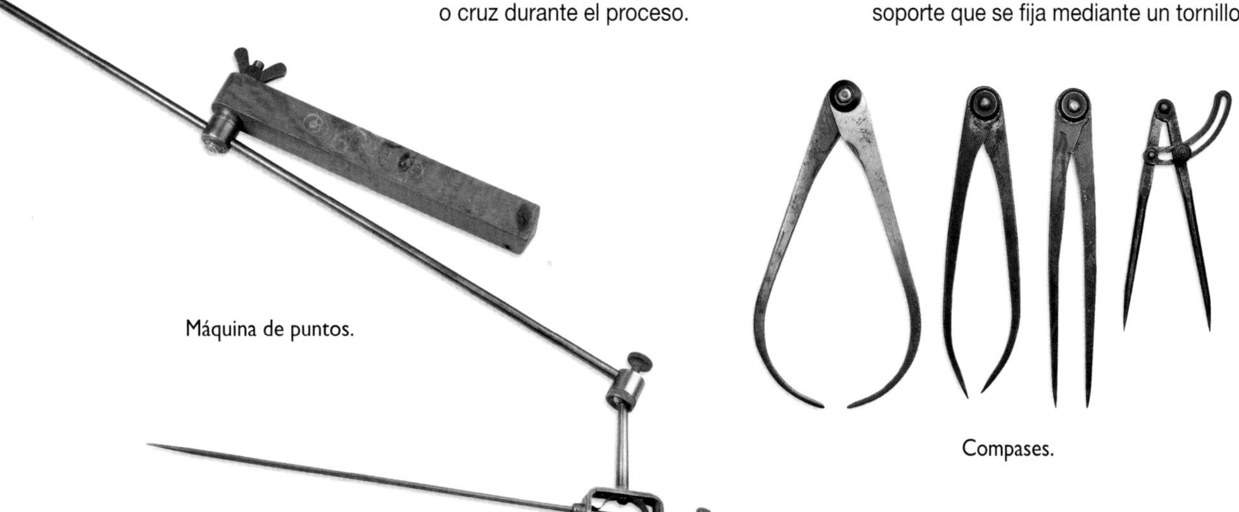

Máquina de puntos.

Compases.

Técnicas básicas

En este capítulo se explican los procesos técnicos esenciales para la talla en madera. Se muestran los procesos previos a la misma, centrados en la creación y el diseño de la obra y en la preparación de la madera. Seguidamente, se exponen los diferentes métodos de reproducción, ofreciendo una visión pormenorizada de los procesos que involucra su empleo desde el punto de vista teórico. También se enseña cómo manejar las gubias y cómo solucionar algunos problemas derivados de los defectos de la madera.

DISEÑO Y PREPARACIÓN

La creación de piezas de madera requiere unos procesos previos a la talla propiamente dicha. La madera, al igual que otros materiales duros, se trabaja extrayendo materia, por lo que cualquier modificación sobre la misma resulta definitiva; por esta razón, es imprescindible reflexionar y analizar la idea previamente mediante el diseño. Asimismo, la adecuada preparación de los bloques de madera redunda en la eficacia del trabajo e influye en el resultado final.

Diseño y creación de modelos

Diseño

Al igual que en otras disciplinas artísticas, la creación de obras de madera tallada requiere un diseño previo. El diseño es la plasmación de la necesaria reflexión que conlleva cualquier creación, anterior a cualquier proceso de talla propiamente dicho, y resulta imprescindible en cuanto a lo que supone de análisis de las ideas. El diseño, pues, sirve para profundizar en el concepto inicial, permitiendo que éste evolucione, si es el caso, hasta convertirse en un aliado para la exploración de formas y volúmenes. Sirve para pensar la pieza, visualizarla, y es imprescindible para el proceso de creación, incluso en los casos de talla directa. Los diseños pueden constituir desde simples bocetos o apuntes a proyectos en tres dimensiones, a tamaño real o a menor tamaño que la obra, pudiéndose adaptar o ampliar según los métodos de reproducción que se explican más adelante. En este sentido, destaca el uso de procedimientos propios de las nuevas tecnologías como son las imágenes digitales.

Ejemplo de tres diseños de cenefas para relieves. Fotocopia de originales realizados en tinta sobre papel, por Mariano Piñar.

Fotocopia de un diseño de un motivo ornamental original de Mariano Piñar, realizado en tinta sobre papel.

Los diseños también se pueden realizar en tres dimensiones. En este caso, se modela un original en arcilla con el cual se creará un molde perdido que servirá para obtener el original en escayola.

Creación de modelos

Los modelos son la materialización del proyecto o diseño en tres dimensiones. Son un proceso preliminar a la obra, y sirven al mismo tiempo para reflexionar sobre el concepto y como punto de referencia durante todos los procesos de talla. Así pues, este proceso se revela casi imprescindible desde el punto de vista creativo, incluso si se realiza talla directa. Los modelos pueden confeccionarse con diversos materiales, por ejemplo plastilina, arcilla o porexpán, entre otros, y a tamaño real o menor al que tendrá la obra, con lo que ello conlleva respecto al empleo del método de reproducción, como se explicará en el apartado correspondiente.

Los modelos pueden estar confeccionados en arcilla y ésta ser cocida posteriormente (terracota), como en este modelo para la escultura de Medina Ayllón, *Pudor II*, de 2004.

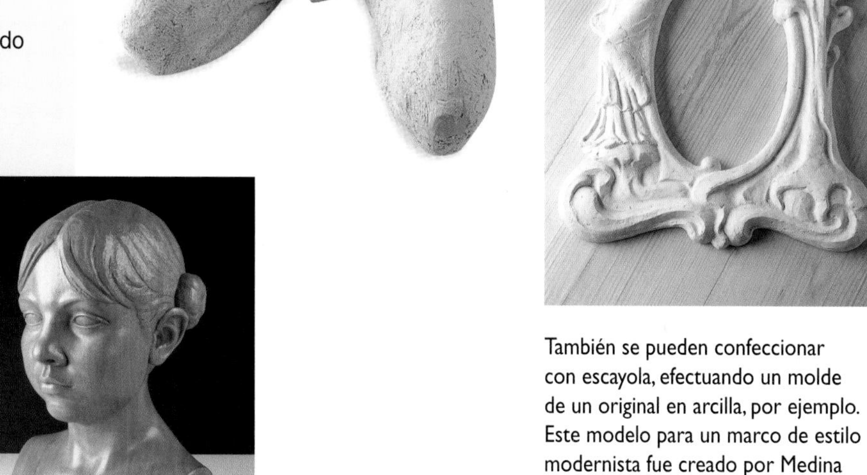

También se pueden confeccionar con escayola, efectuando un molde de un original en arcilla, por ejemplo. Este modelo para un marco de estilo modernista fue creado por Medina Ayllón en 1987.

Medina Ayllón, *Carme*, 1984, cedro bossé. La obra final en madera y el modelo en terracota expresan, con diferentes materias, un mismo concepto.

La reproducción de un modelo a tamaño real en madera se lleva a cabo mediante el sistema de sacado de puntos. En este caso, se reproduce un modelo en escayola de Medina Ayllón, de 1999.

Encolado

La preparación de la madera, el proceso previo a la talla, se inicia encolando las piezas de madera, previamente cortadas. De la disposición de éstas dependerá el resultado final del trabajo, pues influyen directamente en los componentes estéticos de la obra. Por lo general, la madera se adquiere en los comercios especializados en tablones (si bien, en ocasiones, es posible conseguir vigas), por lo que es imprescindible prepararlos según nuestras necesidades y luego encolarlos. En este sentido, hay que tener siempre presente el diseño, o el modelo si es el caso, de nuestra pieza para evitar posibles problemas.

Procesos previos

El paso previo al encolado de las piezas consiste en fragmentar los tablones a medida según las dimensiones del objeto que se vaya a realizar. El corte o fragmentado se puede practicar en el taller, pero lo más adecuado es ir a una carpintería para que realicen el corte con una sierra. Las dimensiones de las piezas siempre deben ser algo mayores que las del objeto final. Una vez cortadas se cepillan o regruesan, según el caso.

1 Hay que valorar las oportunidades que ofrece la madera. El encolado de estas cuatro vigas macizas se llevó a cabo disponiéndolas de tal manera que se aprovecharan los recursos expresivos que proporcionan los anillos de crecimiento.

2 La disposición de las piezas ha influido directamente en el resultado final, acentuando la expresión de la cara al coincidir los anillos con la zona de los ojos. Medina Ayllón, *Contraposición*, 2005, madera de pino.

Una vez cortadas las piezas, si se requiere, se cepillan las caras con la cepilladora para que queden perfectamente rectos y lisos.

Para conseguir piezas de grosor uniforme según la anchura deseada y con las superficies lisas, se emplea la regruesadora.

Fase de encolado

Antes de pasar a la fase de encolado es imprescindible valorar la disposición de los tablones que formarán el bloque y marcarlos para evitar problemas. Para confeccionar bloques anchos a partir de un tablón se unen los trozos orientados en el mismo sentido en el que estaban originalmente en el tablón.

Bloque listo para tallar, confeccionado a partir de un tablón.

Antes de aplicar la cola se marcan los tablones que se encolarán, indicando su disposición y sentido. También es aconsejable marcar la situación exacta para evitar posibles problemas.

Para encolar la madera se aplica una fina capa de cola de manera uniforme.

Los tablones se pueden encolar con sargentos, que se mantienen apretados un mínimo de 12 horas.

Para conseguir un encolado en menor tiempo se emplea la prensa, que aplica presión de manera uniforme.

Silueteado

El último proceso antes de iniciar los trabajos de talla es el silueteado de la madera. Por siluetear se entiende eliminar la madera sobrante en el bloque previamente preparado para conseguir una forma y unas dimensiones adecuadas con las que iniciar la talla. Mediante el silueteado se progresa en el trabajo de manera rápida, eliminando una parte de la madera sobrante al tiempo que se ajusta la estructura general del bloque a la forma deseada. El silueteado es un proceso preparatorio que no debe conllevar mucho tiempo; conviene realizarlo de manera rápida y eficiente. No debe coincidir con la forma final, sino que se deja un margen de materia que se eliminará luego durante el proceso de tallado. Puede llevarse a cabo con una sierra industrial o en el taller.

Silueteado con sierra industrial

Para siluetear grandes bloques, en los casos en que es necesario eliminar amplias zonas de madera o en piezas con formas muy definidas, es aconsejable realizar este proceso en un taller de carpintería y emplear la sierra de cinta. Las sierras industriales facilitan el trabajo y permiten realizar siluetados con gran rapidez.

1 Plantilla, modelo para un cuenco con forma de ánade. Estará formado por dos piezas de madera encoladas, una constituirá el cuerpo y otra la cabeza.

2 Una vez encoladas las piezas de madera y marcada la plantilla sobre ésta, se siluetea con la sierra de cinta dejando holgura suficiente.

Silueteado en el taller

Se lleva a cabo efectuando cortes perpendiculares a la línea exterior de la forma, de manera que queden lo más cercanos posible y paralelos entre sí. Siempre que sea posible, se practicarán perpendiculares a la veta de la madera. La profundidad de los cortes debe aproximarse al perfil deseado, pero dejando margen suficiente. Seguidamente, se cortan los fragmentos de madera por su base con una gubia plana. Los fragmentos sobrantes se desprenderán con facilidad porque el corte se efectúa en el sentido de la veta de la madera.

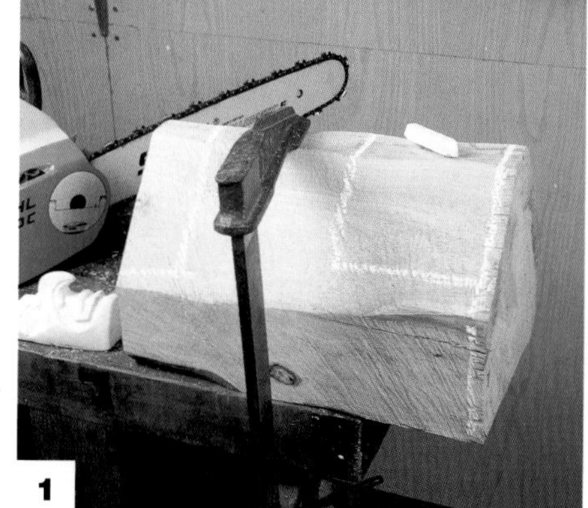

1

2

3

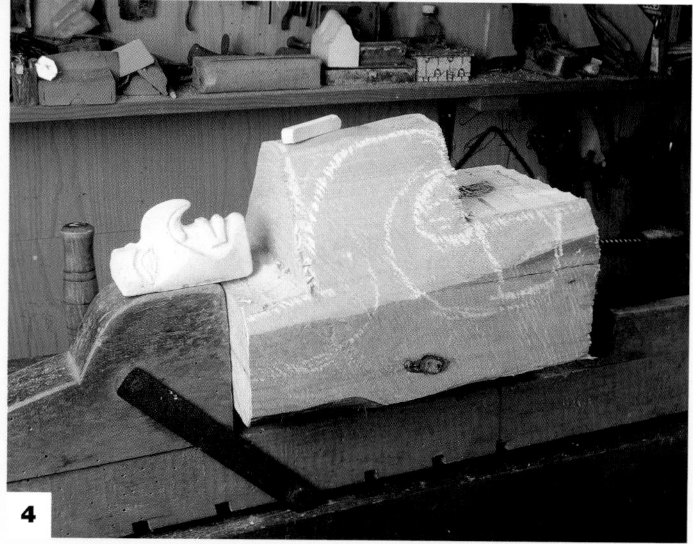

4

1 Tomando como referencia el modelo en escayola, se marcan las zonas que se desea eliminar con tiza. En este caso, se emplea una sierra eléctrica, que permite desarrollar el trabajo con rapidez.

2 Se efectúan varios cortes paralelos entre sí y perpendiculares a la línea de la silueta, dejando un pequeño margen sobre la marca de tiza.

3 Siguiendo el sentido de las fibras de la madera, se cortan los fragmentos de madera por la base con una gubia ancha de boca entreplana.

4 La silueta de la pieza se corresponde con el modelo; a partir de aquí empieza el proceso de talla.

MÉTODOS DE REPRODUCCIÓN

Para plasmar en madera el diseño deseado existen diversos métodos o sistemas de reproducción. En este apartado se explican los fundamentales para desarrollar cualquier proceso de talla, aportando una importante innovación en cuanto al uso del telar giratorio para los procesos de ampliación. El método de reproducción utilizado dependerá del diseño (realizado, a su vez, pensando en el método adecuado de reproducción) y de la obra en cuestión.

Plantillas

Plantillas para relieves

Las plantillas son diseños a tamaño natural de una obra o parte de ella. Se emplean para reproducir el diseño a tamaño real y mediante la talla directa. Se confeccionan, por lo general, con papel resistente y se plasma la forma deseada sobre la madera con ayuda de papel de calco, resiguiendo los recortes efectuados en la plantilla o mediante el siluetеado exterior de la forma. Por lo común, las plantillas se utilizan para efectuar tallas en relieve, aunque también para realizar objetos de bulto redondo u obras tridimensionales, tal como se explica más adelante. Para efectuar tallas en relieve se pueden emplear diseños lineales, pasando a la madera las líneas que se entallarán, o bien diseños con volumen, pasando a la madera los contornos de las formas. Cabe señalar también el tratamiento digital de las imágenes y las múltiples posibilidades que conlleva respecto a la creación de plantillas.

Los motivos simétricos para crear obras en relieve se reproducen sobre la madera con una plantilla de la mitad (o incluso una parte) del diseño, calcando las líneas con papel carbón. Diseño original de Mariano Piñar.

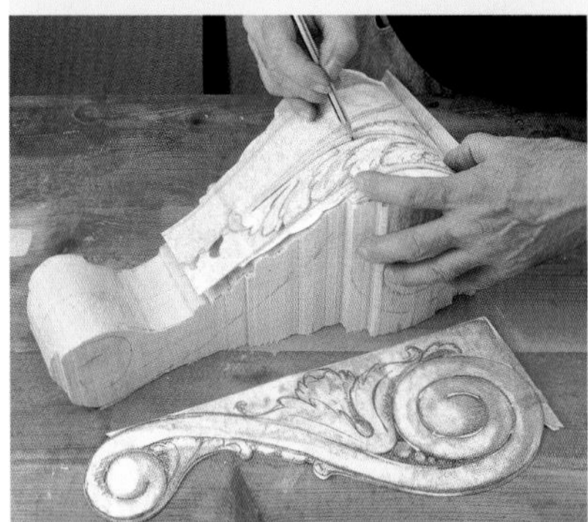

Los sistemas de reprografía facilitan la creación de plantillas. Cualquier diseño se puede fotocopiar y luego ampliar o reducir hasta que se adapte a la medida deseada.

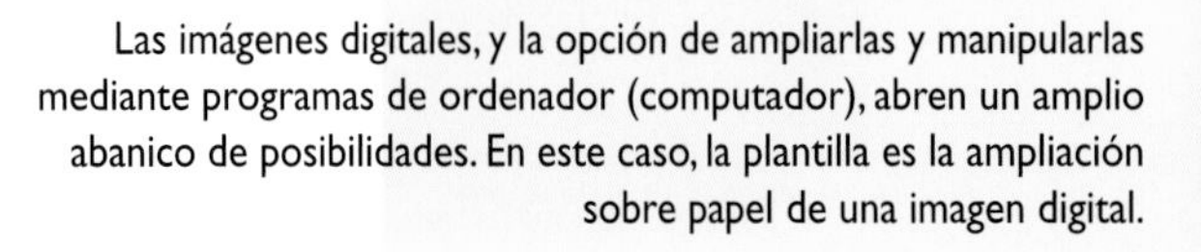

Las imágenes digitales, y la opción de ampliarlas y manipularlas mediante programas de ordenador (computador), abren un amplio abanico de posibilidades. En este caso, la plantilla es la ampliación sobre papel de una imagen digital.

Plantillas para bulto redondo

La confección de plantillas para reproducir diseños para obras tridimensionales o de bulto redondo a partir de modelos (por tanto, también tridimensionales) es una tarea sencilla gracias a las nuevas tecnologías. Para tallar una obra tridimensional se emplean dos plantillas, una de la parte frontal y otra de un lateral. Se obtienen efectuando una fotografía digital frontal y otra lateral del modelo, se manipulan mediante el ordenador (si se requiere ampliación), se imprimen y, finalmente, se recortan.

1 Pequeño modelo para una escultura de un gato realizado en arcilla. La escultura en madera tendrá dimensiones sensiblemente mayores al modelo.

2 Se realizan dos fotografías del modelo, una perfectamente frontal y otra del lateral hacia el cual el gato gira la cabeza. Por medio de un programa de ordenador se amplían hasta el tamaño deseado, se imprimen a baja resolución y se recortan.

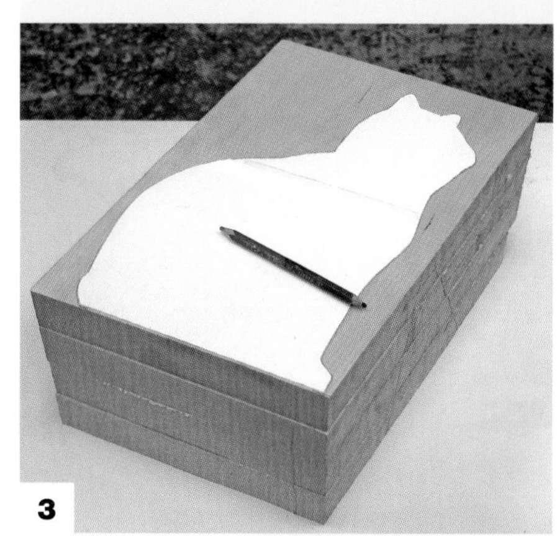

3 Primero se marca el contorno de la plantilla de la parte lateral del modelo, poniendo especial atención a la dirección de la cabeza.

4 Una vez silueteado, se marca el contorno de la plantilla de la vista frontal del modelo. En este caso, dado que se marca en la parte del lomo, se ha girado hacia abajo la plantilla para que la forma de la cabeza y el cuerpo se ajusten al modelo.

Copia a **galga**

La copia a galga se emplea para reproducir al mismo tamaño las formas del modelo sobre la madera en obras con relieve. Así, dado que se trata de una copia idéntica, el bloque de madera y el modelo deben tener idénticas dimensiones. En este método se emplean compases a manera de galgas; se basa en el sistema de traslado de puntos mediante coordenadas, es decir, el punto se sitúa sobre el plano en la intersección de dos coordenadas, la vertical y la horizontal.
Se marca a lápiz el eje central de la composición sobre el modelo y sobre el bloque de madera; esta línea servirá de referencia durante el proceso. Se señala un punto en el modelo, se mide con el compás la distancia en horizontal del eje central y se pasa la medida sobre la madera efectuando una marca con el lápiz. Seguidamente, se procede igual con el mismo punto. Se toma la medida vertical desde la parte inferior del modelo y se traslada a la madera; la intersección de las dos medidas será el punto. Cabe remarcar que el modelo y la madera deben estar perfectamente alineados. Una vez hallados varios puntos se unen mediante líneas.

1

2

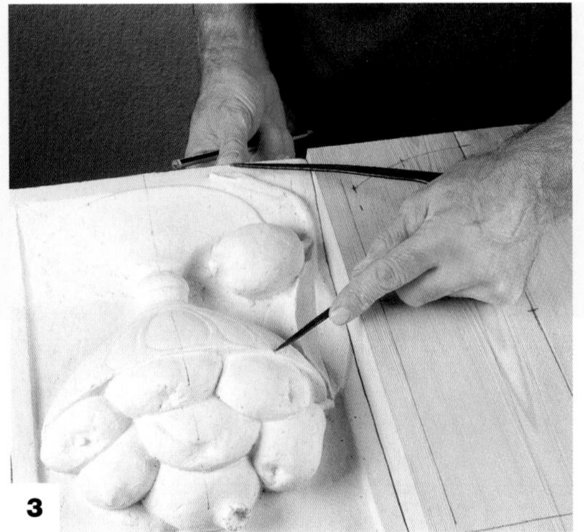

3

1 Se marca el eje central del modelo y del bloque de madera. Se marca el punto sobre el modelo y se mide con el compás la distancia de éste a la línea, es decir, la horizontal.

2 Se traslada la medición sobre el bloque de madera tomando como referencia el eje central. Se efectúa una marca a lápiz.

3 Se mide la distancia del punto a la parte inferior del modelo, esto es, la vertical.

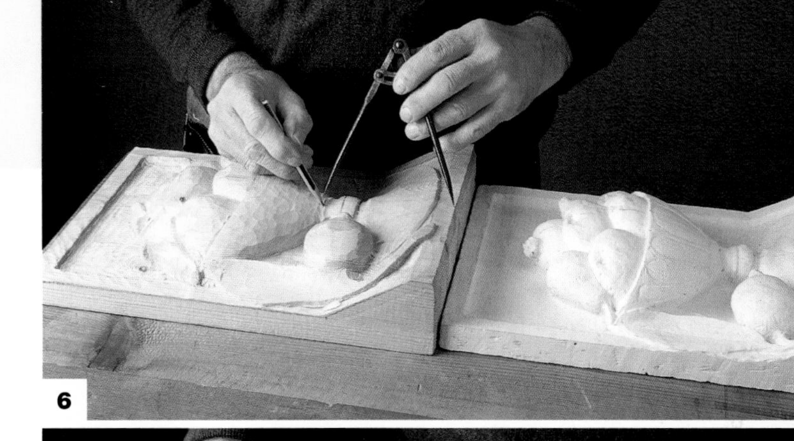

4 Se traslada la medición al bloque de madera, apoyando uno de los extremos del compás en la parte inferior de la madera, que debe coincidir perfectamente con el modelo. La intersección de las dos medidas es el punto.

5 El trabajo progresa trasladando puntos y uniéndolos mediante líneas. El resultado es la representación bidimensional de las formas del modelo.

6 La copia no finaliza con el dibujo del motivo sobre la madera, pues durante todo el proceso de talla se efectúan comprobaciones. Para conocer la tercera dimensión, la profundidad, se realizan mediciones en el modelo y se comprueban en la obra de madera.

7 Este método es útil para copiar cualquier pequeño detalle de la composición.

Sacado de **puntos**

El método de sacado de puntos se emplea para reproducir al mismo tamaño las formas de un modelo tridimensional en un bloque de madera, trasladando los puntos y situándolos en el espacio mediante la máquina de puntos.
En esencia, este método se basa en el traslado de las mediciones efectuadas, los puntos, y la geometrización del espacio mediante triangulación para definir los planos de la obra. En una primera fase se efectúan mediciones como aproximación, se trasladan los puntos y se unen por triangulación; con ello se consigue por geometría los planos que conformarán el contorno exterior de la obra mediante desbastado. En una segunda fase se establecen los puntos finales, se trasladan sobre la madera y se finaliza el proceso de talla; con ello se consigue una reproducción similar al modelo.
La máquina de puntos se utiliza montada sobre una estructura de madera confeccionada a la medida de cada modelo; se denomina cruz. Su situación y montaje sobre el modelo y sobre el bloque de madera requieren una gran exactitud, pues un desajuste significaría el traslado incorrecto de puntos.

1 Modelo en terracota de la escultura *Verano*, original de Medina Ayllón, y bloque de madera de caoba convenientemente preparado.

2 La cruz es una estructura de madera formada por un montante de dimensiones similares al modelo. Este montante está provisto de un soporte superior (véase paso 4) y un travesaño de dimensiones parecidas a la base del modelo. Presenta en los tres extremos largos tornillos (el superior doblado hacia abajo) fijados a la madera y cubiertos en los lados con escayola.

3 Se confecciona el soporte de donde colgará la cruz. Se aplica una capa de escayola sobre el modelo y se espera a que fragüe. A continuación, se sitúa un tornillo con cabeza de estrella y se cubren los lados formando una pirámide. Se procede igual con los soportes de la base.

4 Se comprueban las medidas para que los soportes de la base se ajusten a la perfección a los tornillos de la cruz. Después, se cuelga la cruz situando la punta de los tornillos en la estrella de los soportes.

5 Tras comprobar el ajuste, se cubren los lados de los soportes de la base con escayola. En el caso de que el modelo tuviera una base estrecha, inferior a 20 cm, habría que situarlo sobre una base mayor y colgar la cruz de ésta para evitar desajustes derivados de posibles desequilibrios de la máquina que podrían dar puntos falsos.

6 Se comprueba que la cruz está bien colgada, perfectamente nivelada y centrada respecto al modelo.

4

5

6

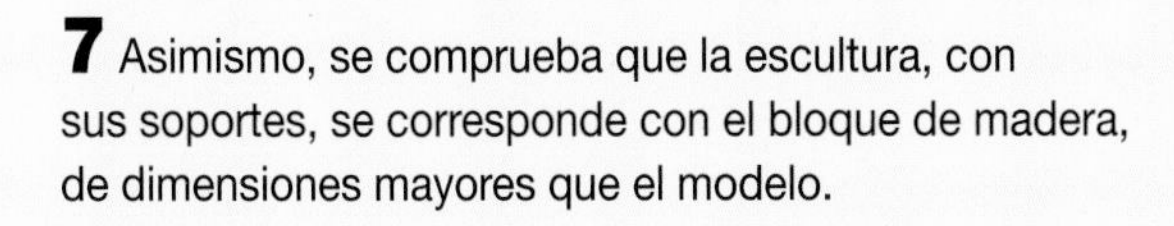
7 Asimismo, se comprueba que la escultura, con sus soportes, se corresponde con el bloque de madera, de dimensiones mayores que el modelo.

7

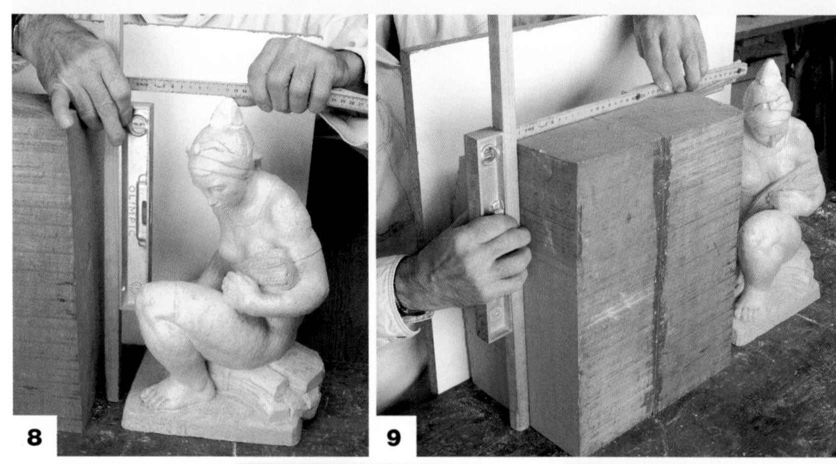

8

9

8 Se trasladan las medidas de los soportes de la cruz a la madera. Se deja un margen de 2 cm en el lado (para eliminar posibles desajustes en las uniones encoladas de las maderas) y se mide la distancia del centro del soporte superior.

9 Se traslada esta medida al bloque de madera. Dado que éste es de mayores dimensiones que el modelo, no es necesario dejar margen. Al igual que en el caso anterior, se comprueba que está perfectamente nivelado.

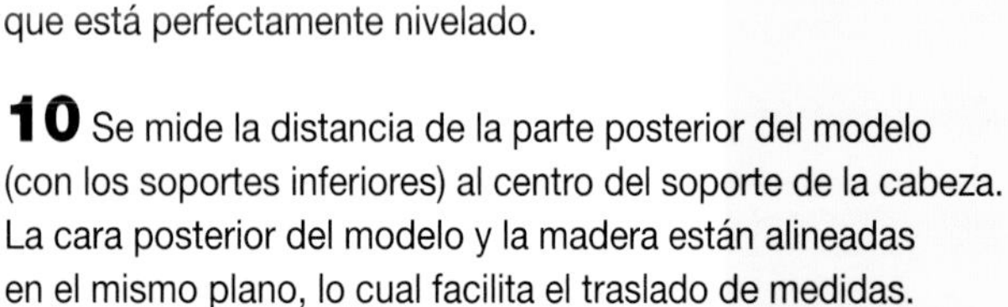

10 Se mide la distancia de la parte posterior del modelo (con los soportes inferiores) al centro del soporte de la cabeza. La cara posterior del modelo y la madera están alineadas en el mismo plano, lo cual facilita el traslado de medidas.

10

11 Se traslada la medición. En el punto de intersección se fija un tornillo similar a los de los soportes, con cabeza plana de estrella.

12 Con un nivel se comprueba que el soporte superior de la madera y el modelo están perfectamente nivelados. A continuación, se pasan las medidas de los soportes inferiores situando sus puntos en la madera.

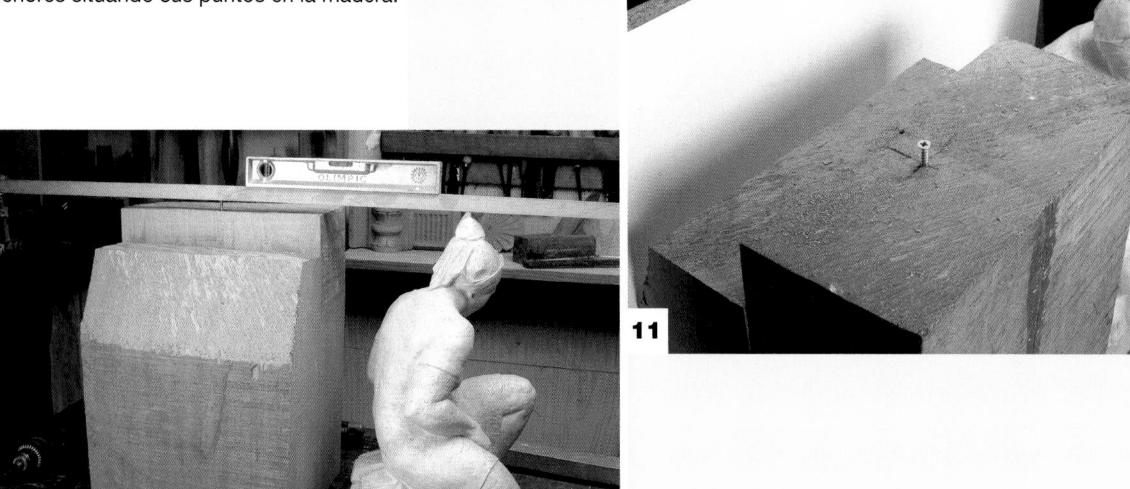

11

12

13 Se mide la distancia entre el soporte superior del modelo y el soporte de la madera.

14 Dado que el soporte de la cabeza se halla en el centro del modelo, la distancia entre cada soporte de la base del modelo y su correspondencia en la madera será similar a la distancia anterior.

15 Se mide la altura de los soportes y se fijan dos tornillos similares a los anteriores. Se cuelga la cruz en el bloque de madera.

16 Se comprueba que la cruz está perfectamente nivelada.

17 Aún se efectúa una segunda comprobación, midiendo la distancia del ángulo que forma la cruz respecto de la vertical, que debe ser similar en el modelo y en el bloque de madera. Acto seguido, se inicia el traslado de puntos.

13

14

15

16

17

18 Se fija la máquina de puntos sobre la cruz con un sargento. Se marca un punto, por lo general de entre los más salientes, situando la aguja perfectamente perpendicular a él. Se fijan los brazos de la máquina en la posición deseada.

19 Se intercala el dedo entre el modelo y la aguja y se fija la posición de ésta apretando con firmeza el tope roscado situado en el brazo, que se ajusta en contacto con el soporte del brazo.

18

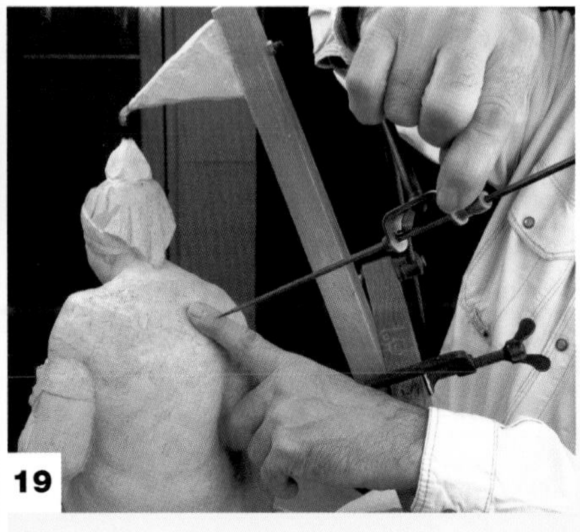

19

20 Se traslada la cruz sobre el bloque de madera, procurando que encaje perfectamente en los soportes y evitando posibles golpes sobre los brazos de la máquina.

21 Se comprueba la cantidad de madera que es necesario extraer para hallar el punto. La profundidad de éste la marca el espacio de la aguja situado entre el tope y el soporte de la aguja. Esta medida se traslada sobre la madera, será el radio de una circunferencia en la cual se inscribirá el punto.

20

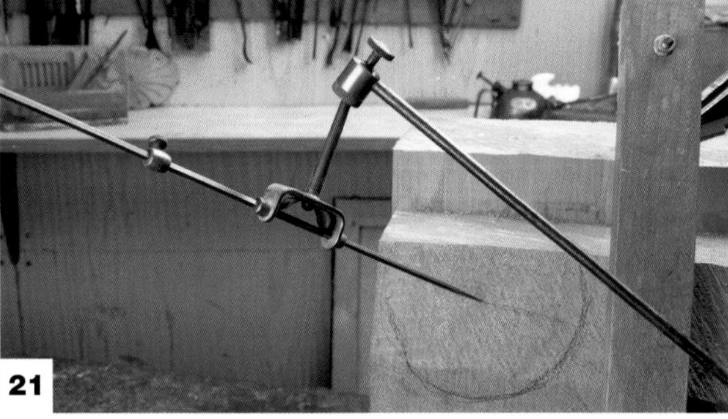

21

22

22 Se retira la cruz y se cuelga sobre el modelo. Se excava la madera hasta conseguir una forma cóncava con las dimensiones de la circunferencia anterior. Se vuelve a colgar la cruz sobre la madera.

23 Observando la distancia entre el tope y el soporte de la aguja, se comprueba que se ha llegado cerca del punto.

24 Se dibuja a lápiz una circunferencia que marca la posición del punto, con cuidado para evitar posibles golpes que provocarían desajustes en la máquina. Se retira la cruz.

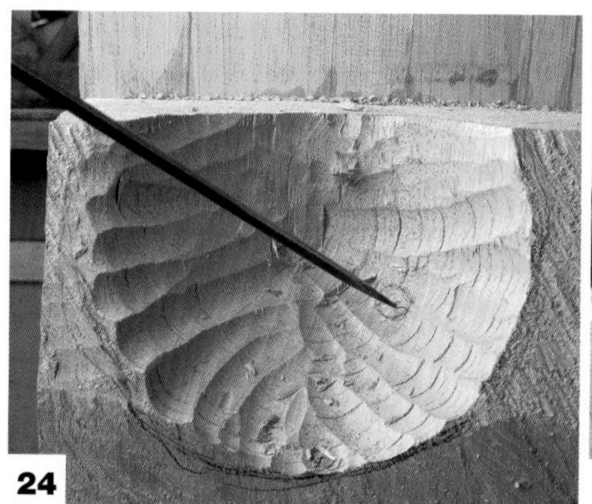

25 Se excava el punto central de la circunferencia con una gubia muy estrecha, se cuelga de nuevo la cruz y se comprueba que el punto se corresponde. Se marca a lápiz.

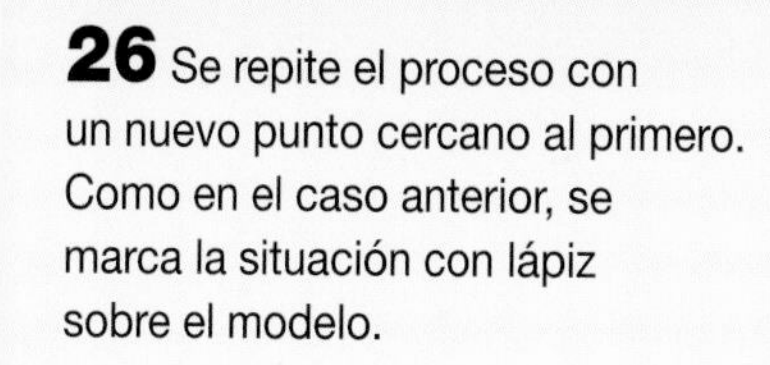

26 Se repite el proceso con un nuevo punto cercano al primero. Como en el caso anterior, se marca la situación con lápiz sobre el modelo.

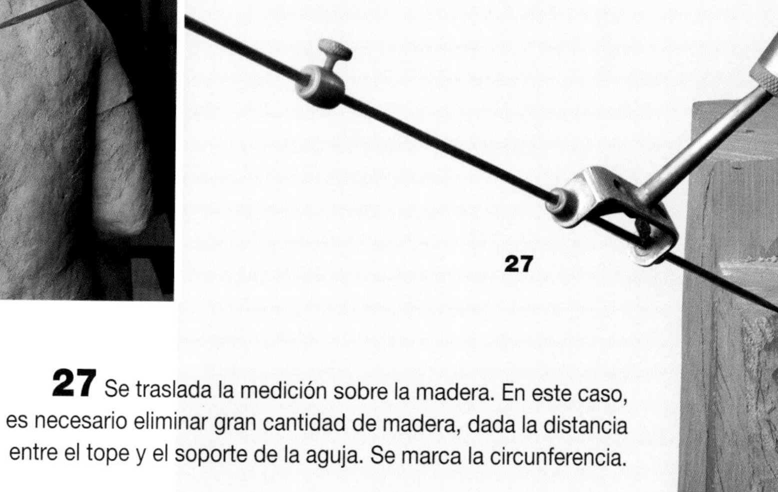

27 Se traslada la medición sobre la madera. En este caso, es necesario eliminar gran cantidad de madera, dada la distancia entre el tope y el soporte de la aguja. Se marca la circunferencia.

28 Se retira la cruz y se desbasta la zona marcada hasta conseguir una concavidad.

29 Se cuelga la cruz de nuevo y se dibuja la circunferencia que marca la posición del punto. Se retira la cruz y se excava una forma cóncava.

30 Se cuelga otra vez la cruz y se comprueba que la situación del punto se ajusta a las mediciones de la máquina. Se marca el punto con el lápiz.

31 Se repite el proceso con un tercer punto cercano a los anteriores.

32 Los tres puntos en el espacio forman un triángulo que define el plano de la obra comprendido entre ellos. Así pues, se desbasta el plano definido, pero sin llegar en profundidad a la situación de los puntos.

33 El proceso sigue hallando y marcando un cuarto punto; se efectúa la triangulación respecto de dos de los primeros y se desbasta el plano resultante.

28

29

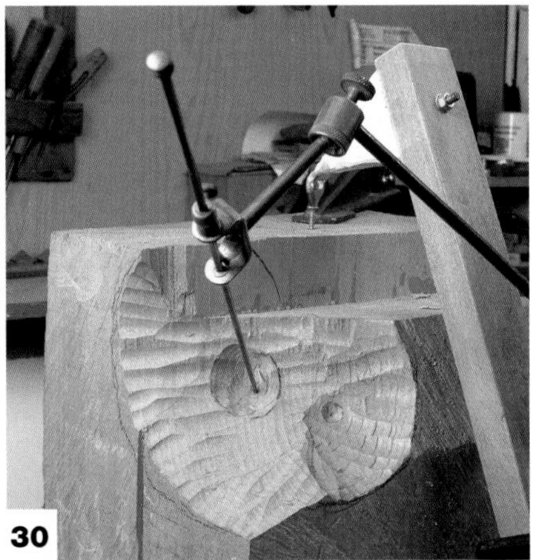
30

31

32

33

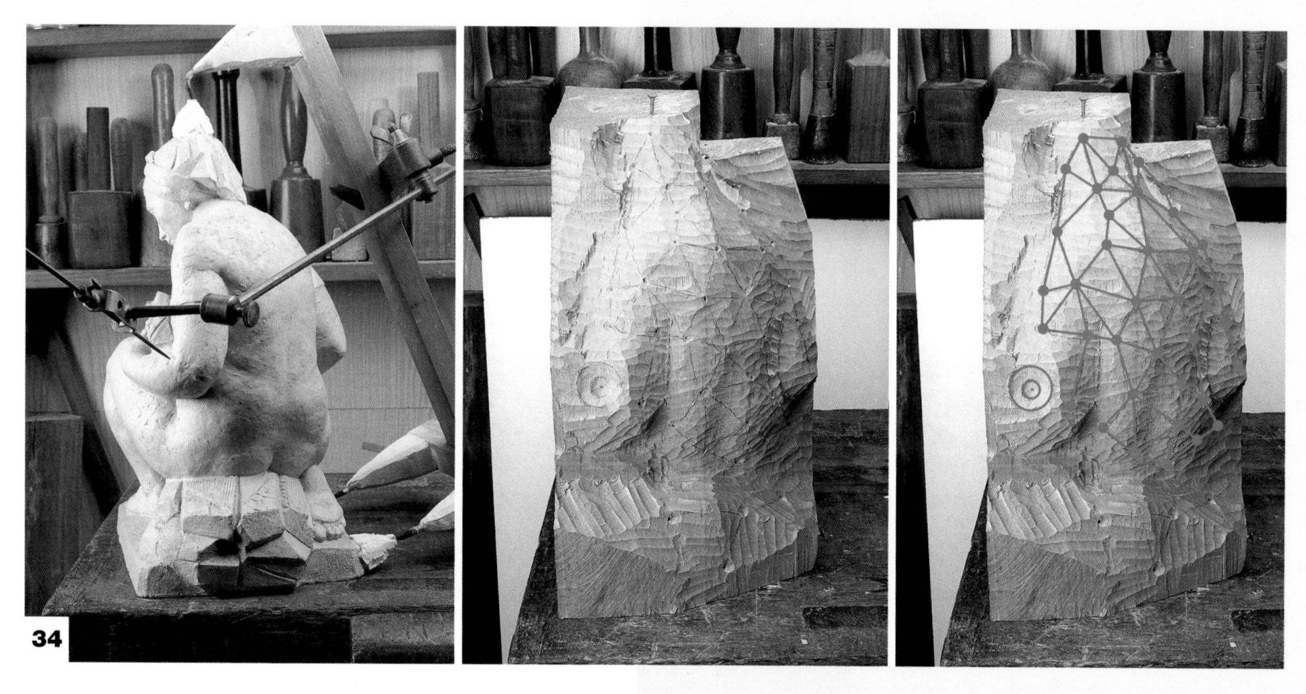

34 El trabajo progresa por zonas. Primero se sitúan los puntos de la parte posterior de la composición, luego se pasa a uno de los lados y se progresa así hasta completar la superficie del modelo.

35 Los puntos, aunque no son los definitivos, han definido la forma y el perfil de la escultura, que se ajusta a la silueta del modelo.

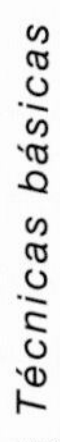

Ampliación del modelo

Los procesos técnicos que intervienen en este sistema se basan, al igual que en el caso anterior, en el traslado de puntos, aunque difieren de éste en que cada medición de un punto del modelo se debe trasladar sobre la madera con la medida adecuada en función de la proporción de ampliación deseada. Para realizar ampliaciones, Medina Ayllón ha ideado y desarrollado un método propio basado en el empleo del telar giratorio. En esencia, el método Medina consiste en trasladar cada punto estableciendo tres coordenadas, la primera su ángulo respecto del ángulo completo (en la base), la segunda, la altura en la barra de medida y la tercera es la profundidad que marca la aguja y que se debe ampliar; luego se traslada sobre la madera en un ángulo similar y aumentando la medida tomada, es decir, la del punto, según la proporción de la ampliación. Es un método muy adecuado para efectuar ampliaciones de composiciones donde domina la verticalidad, siendo, sin embargo, algo más laborioso el proceso de trabajo en otros modelos.

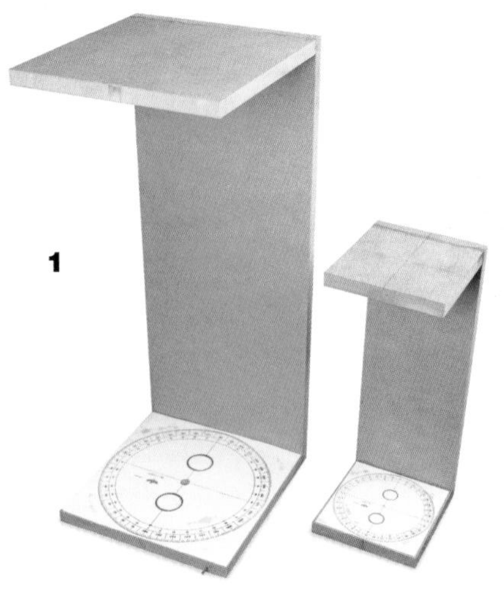

1

1 Para efectuar ampliaciones mediante el método Medina se confeccionan dos estructuras, una para el modelo y otra para el bloque de madera. La estructura menor según las dimensiones del modelo de escayola y la mayor según la proporción de la ampliación, en este caso un 170 %. Se pega una fotocopia de un transportador de ángulos circular a tamaño de la base de la estructura del modelo y otra fotocopia ampliada un 170 % sobre la base de la estructura que contendrá la madera. Se forran con una lámina de plástico autoadhesivo.

2

2 Se pega el modelo en escayola (*Primavera*, original de Medina Ayllón) perfectamente centrado sobre una base con las superficies de melamina y se confecciona con escayola en la parte superior de la escultura, el soporte donde se fijará el eje. El diámetro de la base deberá ser algo menor que el diámetro interior del transportador de ángulos para evitar cubrir la numeración. Se fija una base de igual manera en el bloque de madera.

3 En el lado de cada base se clava una punta, perfectamente paralela a los planos de la pieza. Las puntas se fijan marcando el punto frontal de la composición y el bloque de madera.

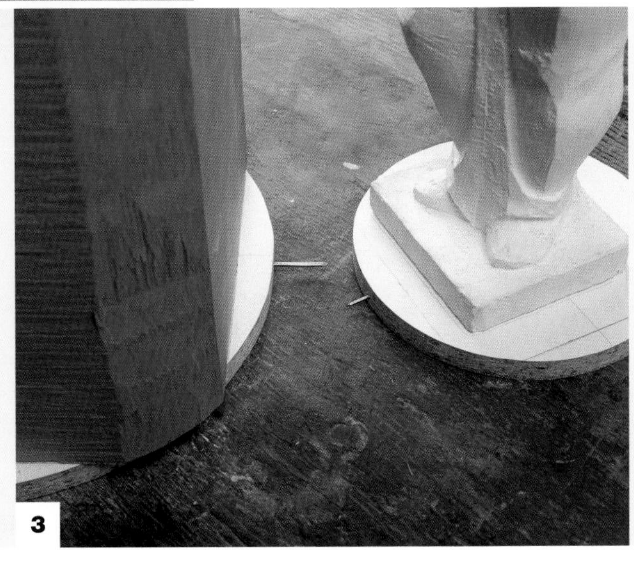

3

4

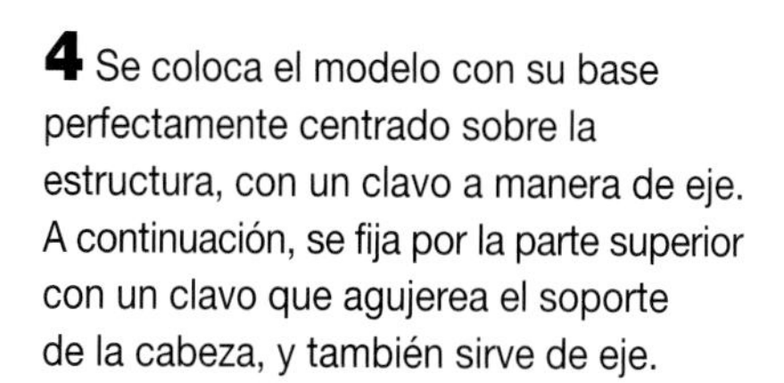

4 Se coloca el modelo con su base perfectamente centrado sobre la estructura, con un clavo a manera de eje. A continuación, se fija por la parte superior con un clavo que agujerea el soporte de la cabeza, y también sirve de eje.

5

5 Se manda cortar una barra metálica de sección cuadrada de 10 mm de lado a la medida de la estructura del modelo y se pega en uno de sus lados la fotocopia a tamaño real de una cinta métrica, de tal manera que el número 0 coincida con el extremo inferior de la base del modelo, y se cubre con plástico autoadhesivo. También se manda confeccionar una cruz (T invertida) con barra metálica de 17 mm de lado a la medida de la estructura del bloque de madera y se procede según lo descrito, pero pegando una fotocopia de una cinta métrica ampliada un 170 %. Finalmente, se realiza una fotocopia ampliada un 170 % de una regla.

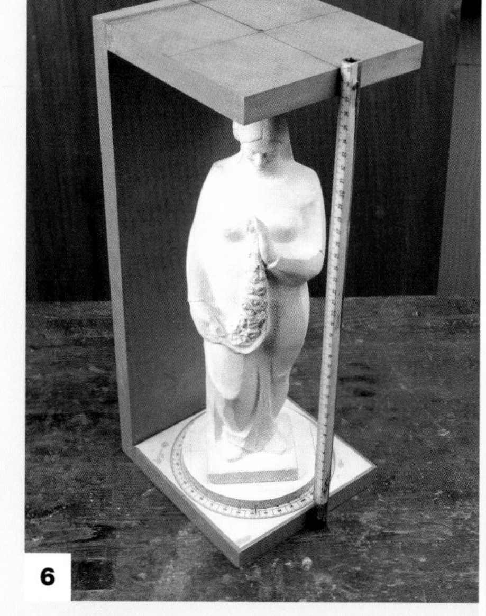

6

6 Una vez se dispone de la barra de medida, se atornilla en la cara frontal de la estructura, fijándola perfectamente centrada.

7 Acto seguido, se monta el bloque de madera centrado en la estructura, y se fija al banco con el tornillo que hace de eje giratorio.

7

8

8 Se cuelga la cruz perfectamente centrada sobre la estructura, y se ancla con ayuda de clavos. El resultado son dos estructuras similares, una al tamaño del modelo y otra ampliada un 170 % respecto de ésta.

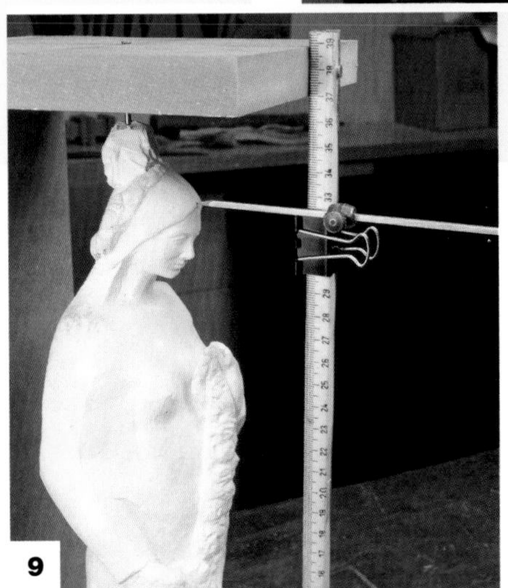

9

9 Se marca el punto que hay que buscar y se mide situando sus coordenadas: primera, 360° en la base, 32,3 cm en la barra de medida, y ayudados de la aguja buscamos la profundidad fijándola con el tope.

10 Con una regla, se mide la distancia entre la punta de la aguja y el tope, en este caso 6,1 cm. Obsérvese que aquí el tope presenta una muesca en la parte inferior, es un rebaje efectuado para salvar el grosor de la plancha del soporte a fin de evitar mediciones incorrectas.

11 Se pasa la medida a la proporción de la ampliación. Se sitúa la fotocopia de la regla ampliada y el metro de madera enfrentados y con sus extremos alineados; se miden 6,1 cm en la ampliación y se comprueba que corresponden a 10,4 cm a tamaño real.

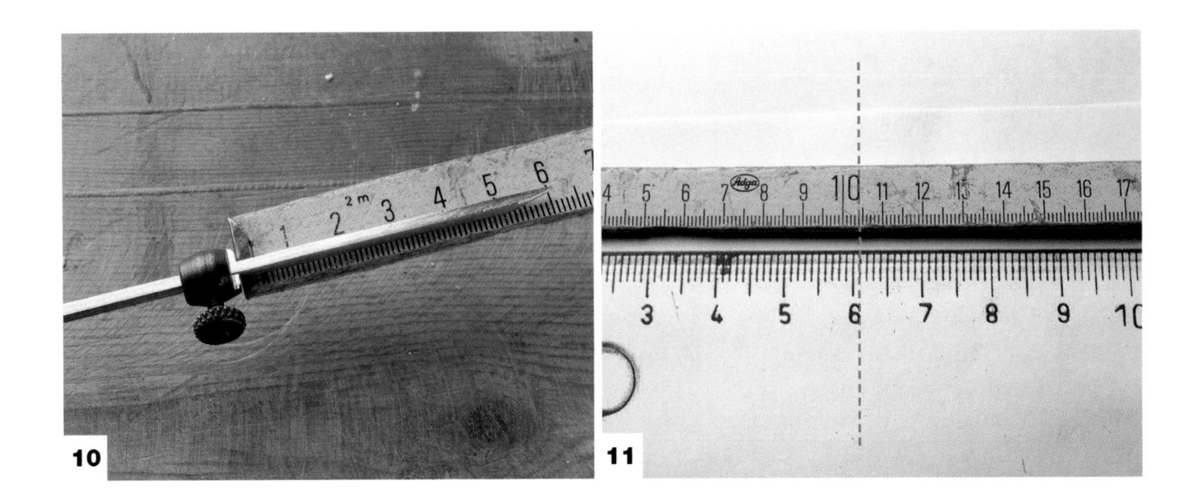

10

11

12 En la fase de desbastado se trabaja con 1 cm de margen. Por este motivo se ajusta la aguja a 9,4 cm, que es la medida que se pasará sobre el bloque de madera.

13 Se sitúa el soporte de la cruz de la ampliación a la misma medida que el del modelo, de manera que la parte superior marque 32,3 cm en la barra de medida. Se apoya la aguja.

14 Ahora se procede igual que con el sacado de puntos (véase pág. 54), es decir, se marca el radio de la circunferencia donde se inscribe el punto.

15 Se retira la cruz y se excava la madera hasta conseguir una forma cóncava con las dimensiones de la circunferencia. Para ello, se excava el punto central hasta comprobar con la aguja que el punto se corresponde.

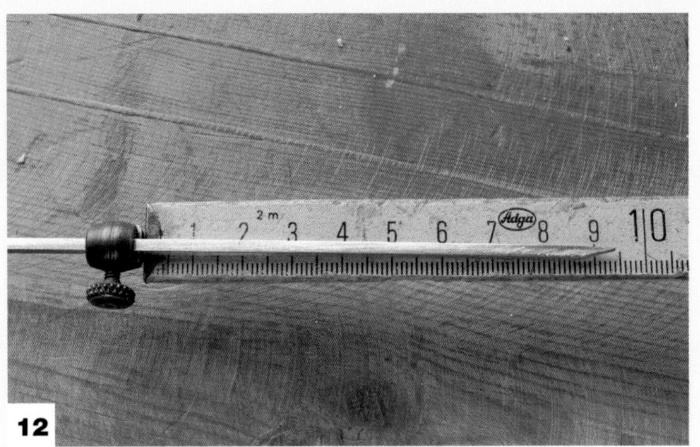
12

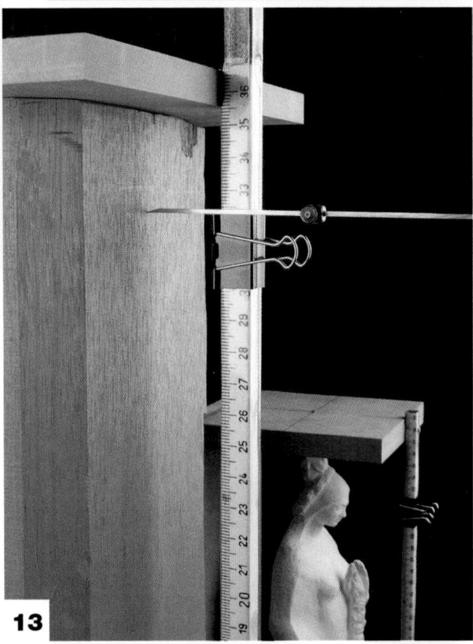
13

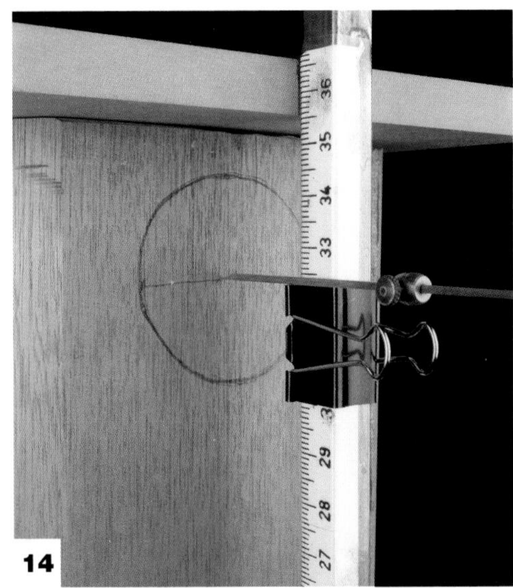
14

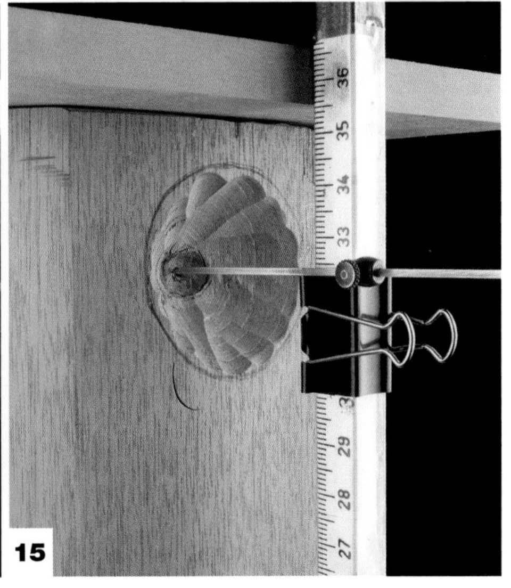
15

TALLA

La talla es una técnica sustractiva, es decir, que se basa en la eliminación de materia mediante el corte de la madera para conseguir una forma determinada. Este proceso se fundamenta en el corte, aunque involucra diversas fases tales como desbastado, modelado y acabado. En este apartado se explica el manejo de las gubias, y con ellas, los aspectos básicos del desbastado y del corte que se desarrollarán posteriormente con detalle en los ejercicios paso a paso.

Aspectos básicos

Manejo de las gubias

Las herramientas fundamentales para desarrollar cualquier trabajo de talla son las gubias, las cuales se emplean en la mayor parte de procesos y trabajos para cortar la madera. Su adecuado conocimiento y manejo devienen imprescindibles para iniciarse en la técnica de la talla. Existe una gran variedad de gubias, muchas de ellas explicadas en apartados anteriores, entre las cuales es posible escoger en cada momento la más adecuada para el trabajo que haya que realizar. Se elegirá la herramienta en función del corte que se deba efectuar, dependiendo de la fase del proceso y del resultado que se desee conseguir, también según la marca comercial, pues existen diferencias dependiendo del fabricante.
El corte de la madera se consigue mediante incisión, manejando la gubia con ambas manos. Se sujeta la caña con una mano que se apoya a su vez sobre la madera y se empuja el mango con la otra; con la mano que se sostiene se dirige la herramienta al tiempo que se contrarresta la fuerza que se realiza con la otra mano para hender la madera. Se trata, en definitiva, de dos fuerzas que se contrarrestan.

Para cortar, se dirige la gubia sujetándola con la mano del brazo que descansa sobre la pieza de madera, mientras se presiona con la otra mano para que avance.

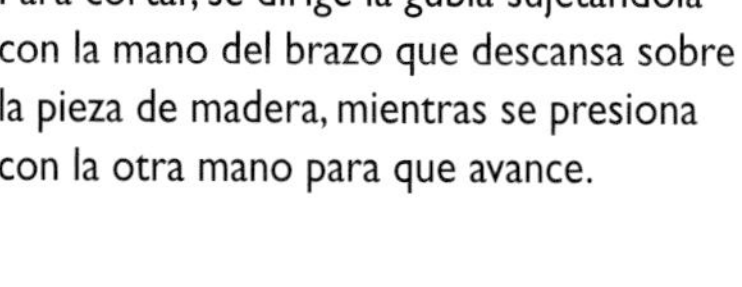

También se puede emplear una maza percutiendo el mango de la gubia para facilitar el avance del corte.

En los procesos en que se requiere precisión, como en este modelado, la mano que dirige la herramienta se apoya por completo sobre la madera.

Desbastado

Los trabajos de talla propiamente dichos se inician con el proceso de desbastado. El desbastado consiste en extraer madera para eliminar las partes sobrantes del bloque hasta conseguir los volúmenes dominantes de la obra. Difiere del siluetеado, ya que mediante el desbastado se sitúan los volúmenes y las proporciones que tendrá la obra una vez finalizada; no serán estrictamente los de la pieza definitiva, pero coincidirán con los del resultado final. El desbastado, por lo general, no coincide con la forma final, sino que se debe dejar un margen de material para efectuar los procesos de talla siguientes, por ejemplo el modelado. El desbastado se puede realizar mediante gubias, aunque en obras de cierto tamaño lo más indicado es emplear la amoladora angular o radial. Con esta herramienta eléctrica es posible realizar el desbastado y el proceso de modelado, consiguiendo con ello avanzar rápidamente en el trabajo. Para trabajar con la amoladora hay que controlar la presión que se ejerce, así como la inclinación del disco respecto a la superficie de la madera; situado de modo perpendicular permite aserrar y desbastar, mientras que si se dispone ligeramente oblicuo o plano sobre la madera se consigue modelar.

El desbastado consiste en eliminar la madera sobrante para obtener los volúmenes de la obra. En este caso, se desbasta la madera con una gubia entreplana para perfilar la silueta exterior del relieve.

Para desbastar las piezas que componen la obra se empleó la amoladora angular. Aquí se aprecian los volúmenes de la parte inferior y de la gran esfera superior. Medina Ayllón, *Contraposición*, 2005, madera de pino. Realizada en el II Simposium Internacional de Escultura en Bahrein.

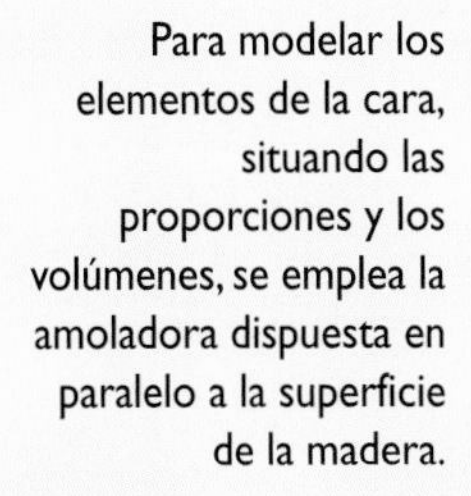

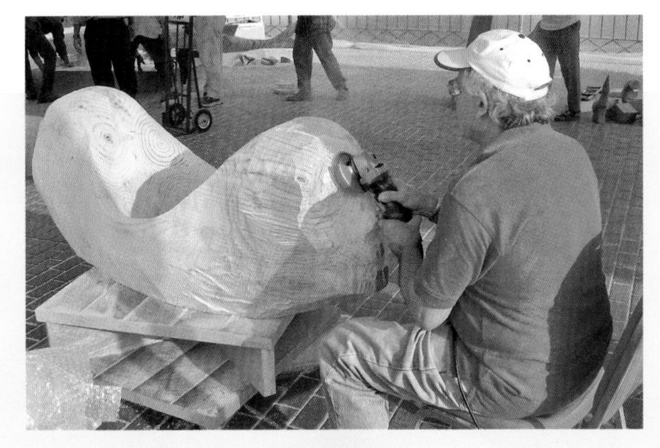

Para modelar los elementos de la cara, situando las proporciones y los volúmenes, se emplea la amoladora dispuesta en paralelo a la superficie de la madera.

La amoladora se empleó también en este caso para modelar las caras hasta conseguir el aspecto definitivo. A continuación, para finalizar, se aplicó a la obra un lijado y se barnizó.

Corte

Para crear obras en talla es imprescindible controlar los aspectos técnicos de esta disciplina, es decir, el trabajo o corte de la madera con las gubias. Antes de efectuar un trabajo de talla hay que observar la madera elegida y analizar sus características. Es importante identificar la dirección de las fibras del bloque de madera, pues es un factor que determinará el resultado final. Los cortes se pueden realizar en la dirección de la fibra de la madera, en el sentido de la veta, denominado a hilo, o en el sentido opuesto, denominado a contrahílo o contraveta. En el primer caso, el corte es fácil de controlar y resulta limpio, mientras que a contrahílo el corte no es limpio y produce astillas. Para evitarlo se corta transversalmente a la fibra que aunque más dificultoso resulta efectivo. Así pues, para iniciarse en esta disciplina resulta esencial dominar el manejo de las herramientas y la técnica de corte, por lo que conviene efectuar pruebas sobre fragmentos de madera para ejercitarse. El ejemplo que se ofrece a continuación, a manera de primer paso a paso, muestra el manejo y sistema de empleo de la gubia plana y la de media caña.

1 y **2** Se proyecta el trabajo que se desea realizar. En este caso, la decoración de la parte exterior de la tapa de una caja con un motivo estrellado con una cenefa exterior. Se pasa el dibujo sobre la madera.

3 Para confeccionar la cenefa se trabaja por orden en los lados. Se delimita el perfil exterior de cada elemento efectuando el corte con una gubia de media caña perfectamente vertical.

4 Se excavan los motivos con la misma gubia de media caña, desplazando la herramienta desde el interior de cada uno de ellos hasta alcanzar el corte vertical anteriormente realizado.

5 Aspecto de la cenefa tallada.

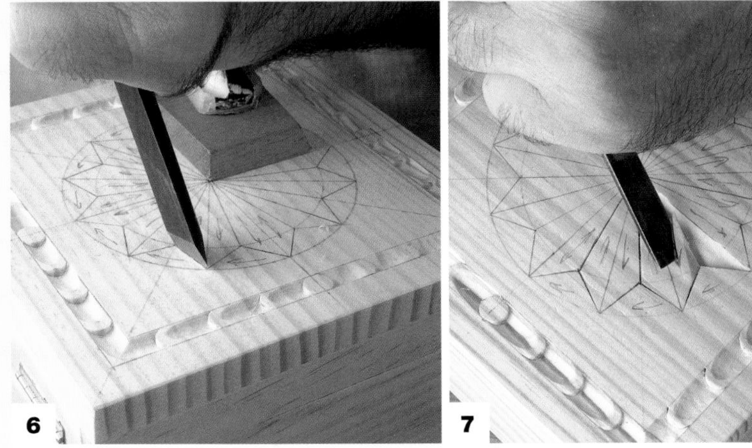

6 7

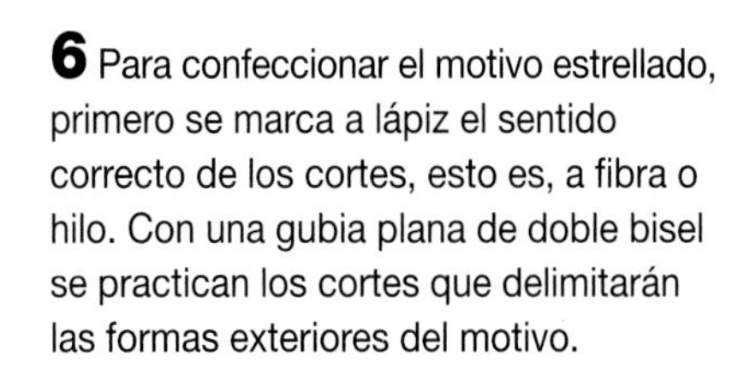

6 Para confeccionar el motivo estrellado, primero se marca a lápiz el sentido correcto de los cortes, esto es, a fibra o hilo. Con una gubia plana de doble bisel se practican los cortes que delimitarán las formas exteriores del motivo.

7 Se entallan las superficies de la estrella siguiendo las marcas. Se realizan primero los lados laterales de dos rayos.

8 Luego se excava el fondo, perfilando la parte interior del motivo circular. Obsérvese que en este caso el corte también se efectúa en el sentido marcado.

9 Se prosigue poniendo especial atención en perfilar las aristas superiores de la estrella.

10 Aspecto del trabajo finalizado.

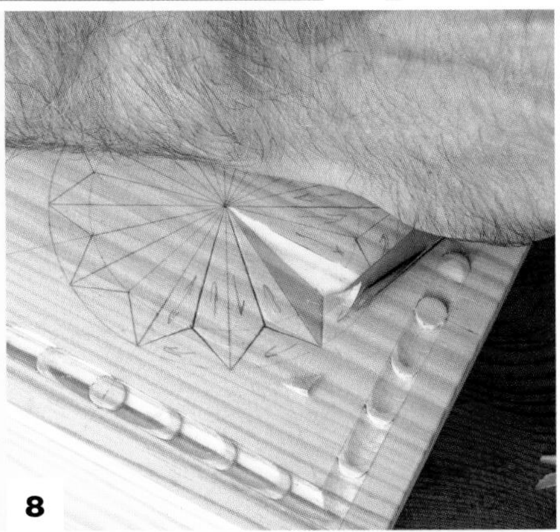

8

9

10

RESOLUCIÓN DE PROBLEMAS

La madera puede presentar diversos problemas, los más habituales son las grietas y los nudos. Éstos, aunque son un contratiempo, no representan ningún inconveniente para el resultado final del trabajo, ya que es posible adoptar medidas para solucionarlos. Para tal fin, es aconsejable emplear madera similar a la de la obra, aunque también es posible usar otros materiales como pastas con base de serrín o masillas sintéticas.

Los más habituales

Agrietados

Los agrietados son hendiduras alargadas que se producen por efecto de la contracción del bloque o de la pieza de madera. Por lo general, la contracción del material se debe a causas ambientales, a la disminución o a las oscilaciones rápidas y bruscas de la humedad ambiental. Para prevenir el agrietado, hay que mantener el material y las obras finalizadas en un entorno con la humedad ambiental adecuada y lo más estable posible. Se considera que un 60 % de humedad relativa es el valor idóneo, aunque depende de la climatología de cada lugar.
Las hendiduras provocadas por el agrietado se disimulan insertando piezas de madera similar a la de la obra en su interior, que se fijan mediante encolado. Una vez seca la cola, se rebajan las piezas con la gubia hasta que queden perfectamente integradas en la obra.
A continuación, se muestra el proceso empleado para solucionar los agrietados del paso a paso de la máscara decorativa (véase pág. 104 y siguientes).

1 Se escoge una madera similar a la de la obra (en este caso, de ciprés) y se corta una pieza con una gubia en el mismo sentido de la veta de la madera agrietada.

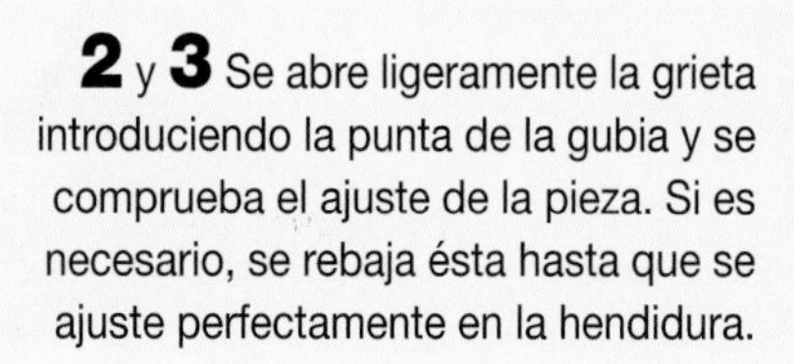

2 y **3** Se abre ligeramente la grieta introduciendo la punta de la gubia y se comprueba el ajuste de la pieza. Si es necesario, se rebaja ésta hasta que se ajuste perfectamente en la hendidura.

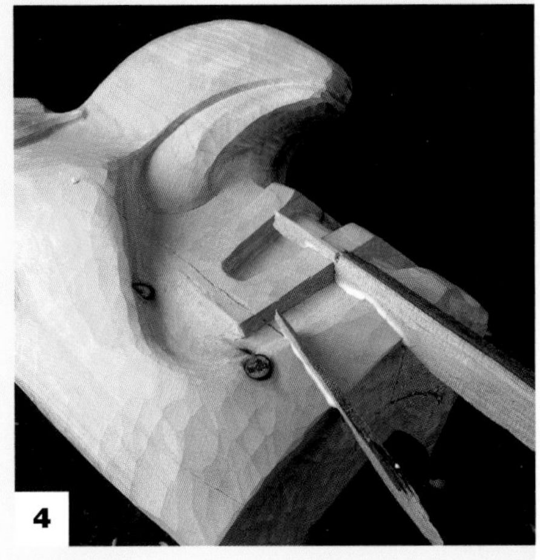

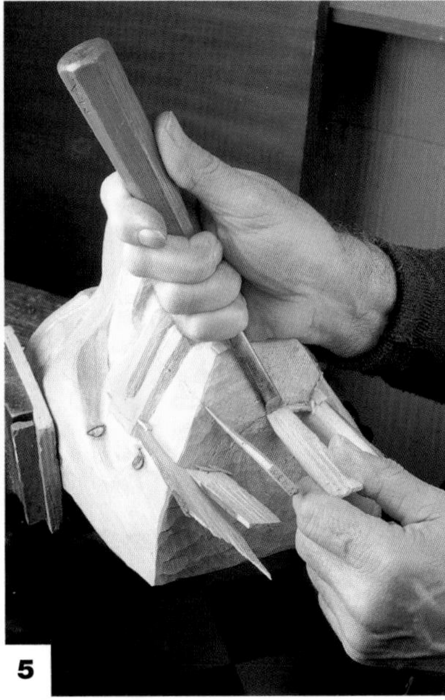

4 Sobre las piezas se aplica cola blanca, introduciéndola por todas las hendiduras. Se deja secar durante 24 horas.

5 Se cortan los sobrantes de las piezas.

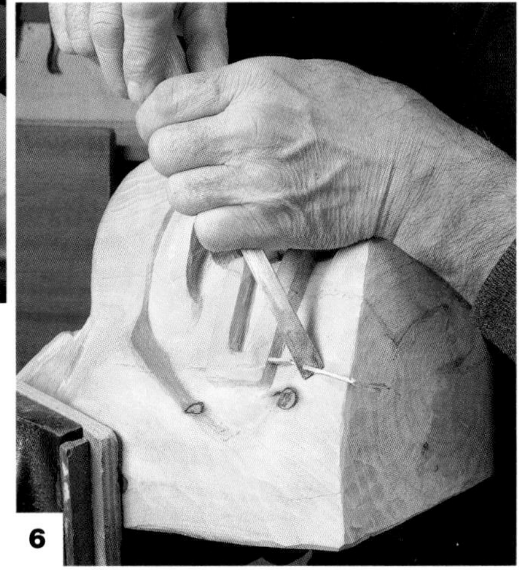

6 Con la gubia plana se rebajan las piezas de la parte frontal hasta igualar su superficie con la de la obra.

Nudos

Los nudos son consecuencia del corte de una rama. En el lugar donde se produce un nudo aparecen desviaciones de las fibras, siendo éstas más duras y difíciles de trabajar que el resto de la madera. Aunque los nudos son muy apreciables, a veces no se manifiestan en el exterior de los troncos, por lo que es habitual que aparezcan nudos imprevistos durante el proceso de talla. En ocasiones, es interesante conservarlos, otras veces resulta preferible eliminarlos y añadir piezas.

Vista posterior y detalle de una escultura de Medina Ayllón en la que aparecía un gran nudo. Para solucionar el problema, se cortó el nudo con la gubia y se añadió una pieza de la misma madera (de abedul), proporcionándole el mismo acabado que el resto de la obra. *Místico*, Medina Ayllón, 1982.

Paso a paso

En este apartado se muestra con detalle una serie de ejercicios paso a paso donde se recoge el proceso completo del trabajo de talla, desde el proyecto inicial hasta la obra acabada. Son once ejercicios que se articulan según su nivel de dificultad. Se inician en el apartado de corte y establecen una secuencia para progresar en la técnica de esta disciplina artística. Cada paso a paso ha sido elaborado para mostrar de manera didáctica un determinado aspecto de la técnica, de modo que juntos reúnen los aspectos fundamentales de la talla en madera.

MADE

Marco decorado con una **greca**

En este ejercicio se explica el proceso de decoración de un marco de madera de pino. El motivo escogido es una greca basada en la repetición de determinados elementos (cintas entrelazadas, flores y esferas), confeccionada en talla directa. Se pone de manifiesto que en todos los trabajos desarrollados a partir de motivos repetitivos conviene agotar el uso de cada gubia, utilizándola en tantos cortes como sea preciso, pues cambiar de gubia sin necesidad es una pérdida de tiempo.

1 Se confecciona el diseño de la greca a tamaño real, pues se trata de un motivo basado en la repetición, el proyecto lo refleja parcialmente.

2 Se traspasa el motivo a lápiz sobre la madera, según el tamaño y las proporciones del diseño. Se fija al banco de trabajo con un par de sargentos provistos de un taco de madera para evitar marcar la superficie del marco.

3 Se marcan las líneas cortando con una gubia entreplana estrecha para delimitar las zonas que se trabajarán. Se sigue el diseño para evitar errores al marcar las zonas de entrelazado de las cintas.

4 Para delimitar la forma del botón central de las flores se emplea la gubia de media caña pequeña, que se adapta a la curva del botón.

5 A partir del diseño, se marcan todas las líneas. En cada caso se emplea la gubia más adecuada, es decir, la que se ajusta mejor a cada curvatura.

6 Se excava la zona donde se confeccionarán los elementos florales. Se talla con una gubia de media caña mediana, desplazándola desde el exterior hacia el botón central.

5

6

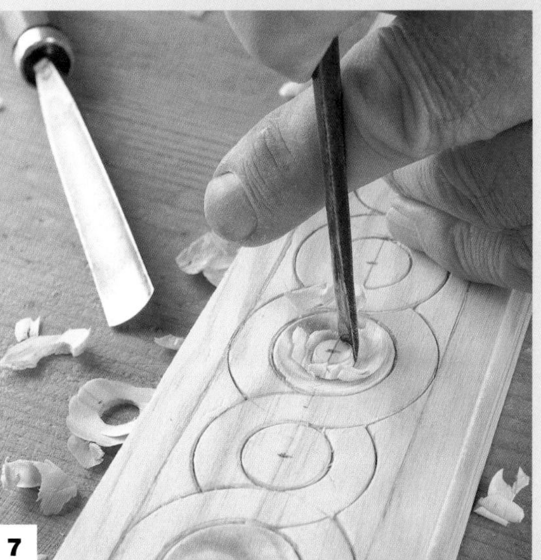
7

7 Para perfilar el botón central también se emplea la gubia entreplana muy estrecha, efectuando cortes verticales. Se corta la madera hasta la profundidad necesaria para ejecutar la flor, y se sigue excavando con la gubia de media caña hasta conseguir el perfil deseado.

8 Se realizan los elementos esféricos con una gubia entreplana mediana. Para efectuar el modelado se desplaza la gubia boca abajo desde la parte central hacia el exterior, a fin de conseguir la curvatura.

8

9

9 Se marca a lápiz la disposición de los pétalos de las flores. Se perfilan efectuando un corte vertical con una gubia plana muy estrecha para marcar la separación de los elementos.

10 Con una gubia entreplana estrecha se redondea el perfil exterior, entallando la parte superior de los pétalos hasta conseguir el perfil adecuado.

11 También se redondea el botón central con esta gubia, de manera similar a como se hizo con los elementos esféricos.

"A partir del diseño, se marcan todas las líneas. En cada caso se emplea la gubia más adecuada, es decir, la que se ajusta mejor a cada curvatura."

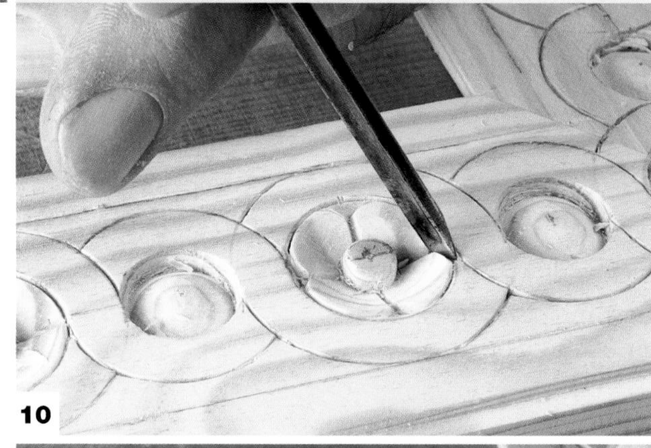

10

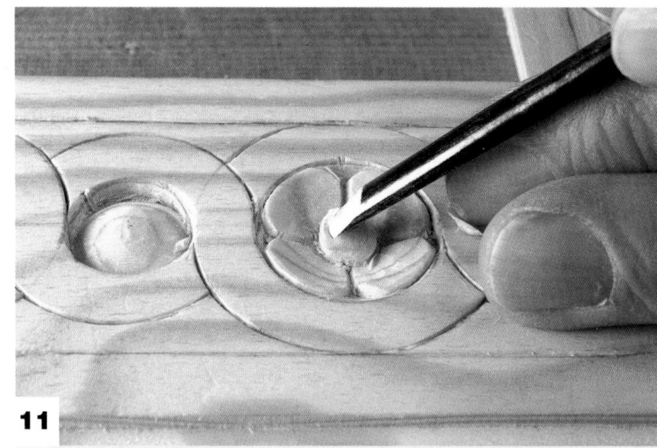

11

12

12 Ahora, mediante una gubia en V muy estrecha se marcan las estrías de los pétalos.

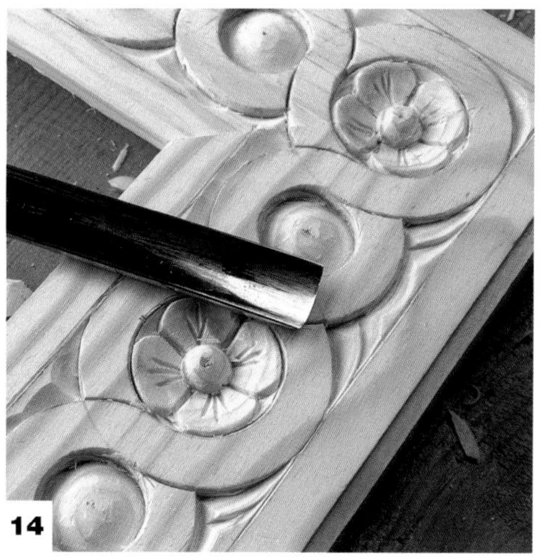

13 Se entallan los volúmenes del fondo con una gubia de media caña mediana para situar los volúmenes de los elementos ondulados.

14 Con la misma gubia se marcan los perfiles de los elementos ondulados.

15 Se acaba el fondo rebajando con una gubia entreplana estrecha la parte exterior de la cenefa, situada por encima de las ondas.

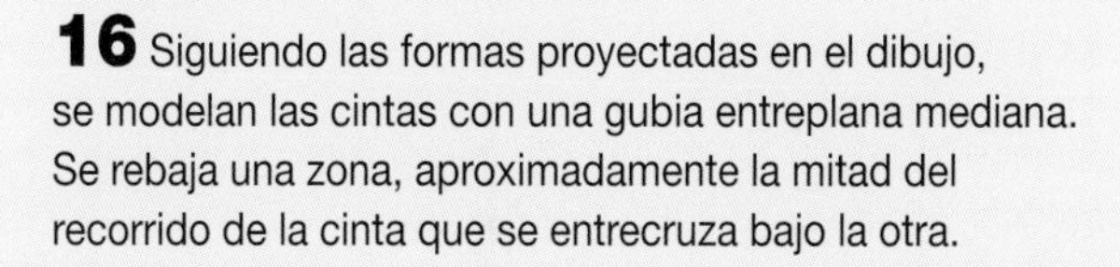

16 Siguiendo las formas proyectadas en el dibujo, se modelan las cintas con una gubia entreplana mediana. Se rebaja una zona, aproximadamente la mitad del recorrido de la cinta que se entrecruza bajo la otra.

17 Con ello se consigue crear los volúmenes de dos cintas que se entrecruzan, una bajo la otra alternativamente.

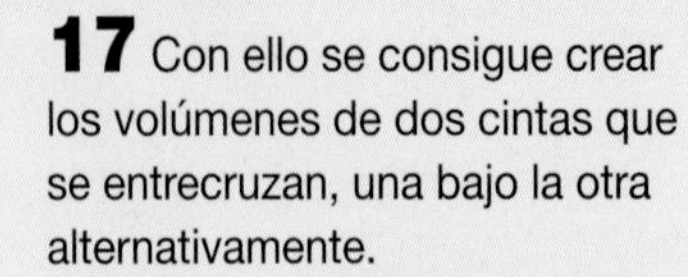

18 Para acabar la pieza se aplica una capa de tapaporos. Es necesario emplear una mascarilla antivapores y guantes de protección en caso de que entre en contacto con las manos. Se deja secar.

19 Se pule la superficie de la madera con lana de acero muy fina (número 0000), frotando en el sentido de la veta, y se retira el polvo con un trapo de algodón.

20 Se aplica una capa de cera teñida con betún de Judea; se utiliza para ello un pincel a fin de llegar a todos los rincones. Se deja secar y se abrillanta con el trapo.

Aspecto del marco finalizado.

Rosetón **Decorativo**

En este caso, se explica el proceso de realización de un rosetón decorativo para techo en madera de tilo. El motivo escogido, un relieve de hojas de acanto, se trabaja en talla directa sobre una pieza torneada. El perfil de ésta, denominado de "pecho de paloma", otorga volumen a las hojas, favoreciendo con ello los valores estéticos de la pieza. En los pasos se aprecia la importancia de conocer las vetas y contravetas de la madera; así, en cada hoja, el sentido de la veta obliga a plantear la dirección del corte.

1

2

1 y **2** Se confecciona el proyecto del relieve, dibujando la forma en sección de un radio del rosetón y el diseño, una composición radial constituida por la repetición del motivo de la hoja de acanto. Se recorta una plantilla en cartón con el perfil de la pieza de madera y se manda confeccionar por un tornero.

3

3 También se confecciona una plantilla recortada en cartulina. Para ello se emplea una plantilla de la mitad del motivo, es decir, la mitad de una hoja, pues al tratarse de formas simétricas es posible marcar el motivo completo utilizando la plantilla por anverso y revés.

4

4 Se fija el rosetón sobre el banco de trabajo con un sargento y con un taco de madera para proteger la pieza. Se marca la forma de las hojas resiguiendo las lineas con una gubia en V estrecha.

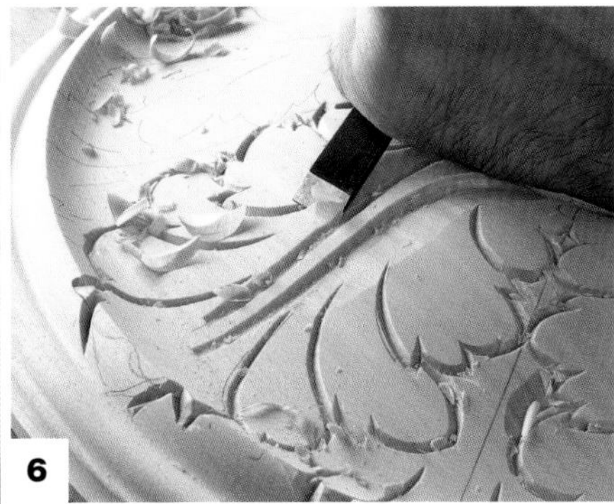

5 Se marca la nervadura con una gubia de cañón.

6 Para dar relieve a las hojas se rebaja su parte central, cercana a la nervadura, con una gubia plana mediana. Con ello se crea una ondulación desde los extremos de las hojas hasta el nervio.

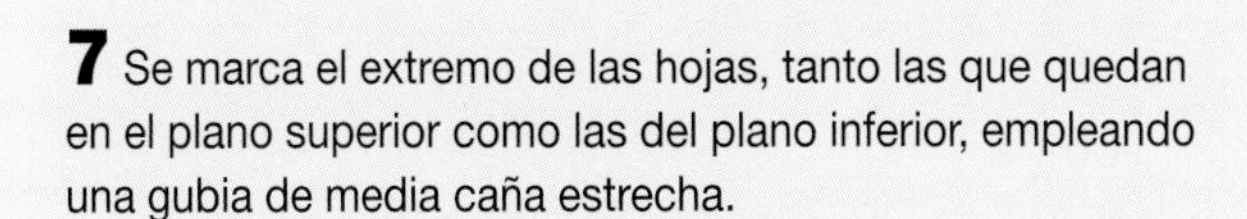

7 Se marca el extremo de las hojas, tanto las que quedan en el plano superior como las del plano inferior, empleando una gubia de media caña estrecha.

8 Con una gubia entreplana mediana se rebaja, en este caso en sentido transversal a la veta, el fondo.

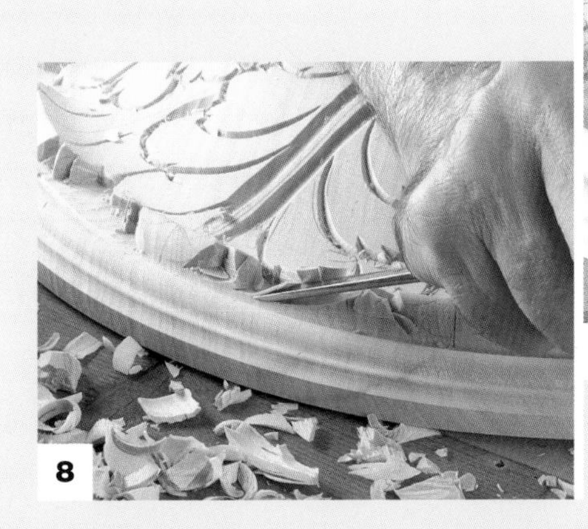

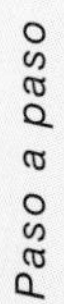

“Para dar relieve a las hojas se rebaja su parte central. Con ello se crea una ondulación desde los extremos de las hojas hasta el nervio.”

9

9 Se modela la punta de la hoja superior con una gubia de media caña mediana, excavando para conseguir un perfil cóncavo con el ápice de la hoja saliente y mostrando el envés.

10 Se rebaja la parte interior de la hoja, igualando el plano cercano al nervio principal con el de la punta y los lóbulos finales de la hoja.

11 Con una gubia entreplana se modelan las hojas situadas en el plano inferior de la composición, creando dos planos que desde el nervio central descienden hasta el margen de la hoja que se sitúa bajo las anteriores.

10

11

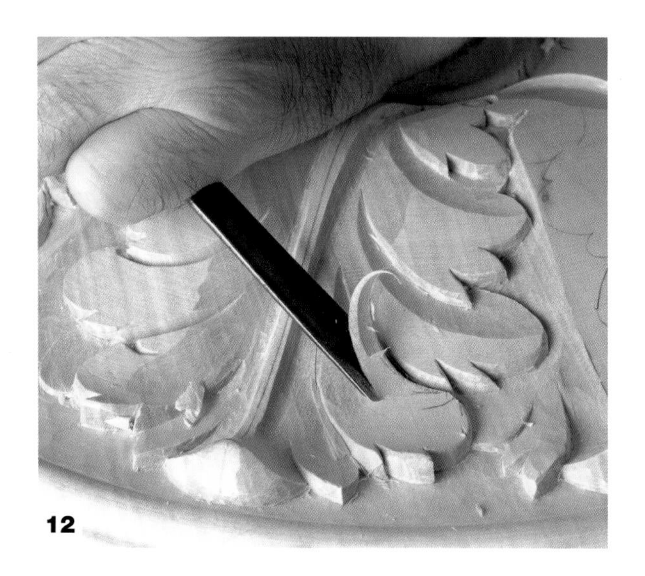

12

12 Con una gubia entreplana mediana o de media caña se modela cada uno de los lóbulos para que se sitúen bajo los superiores. Se talla la parte superior de cada lóbulo desde la nervadura hacia el exterior creando un plano inclinado.

13 En la zona de unión de las hojas se modela una forma esférica con una gubia de media caña muy estrecha.

14 Se entalla la parte exterior de cada lóbulo con una gubia en V mediana para crear otro plano. Se trabaja desplazando la gubia desde el centro hacia el exterior, en este caso, ligeramente transversal a la veta.

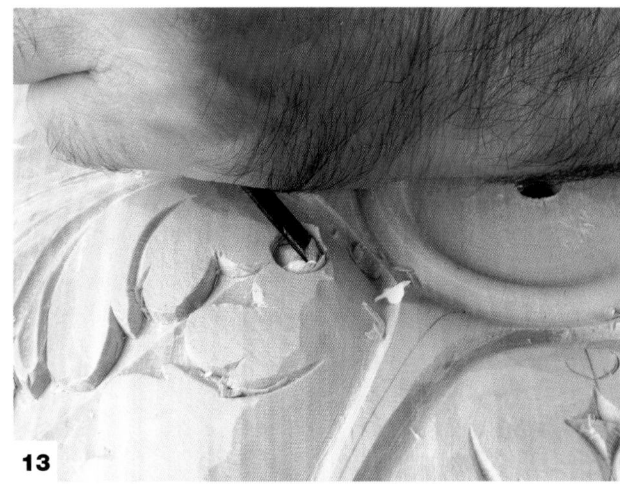

13

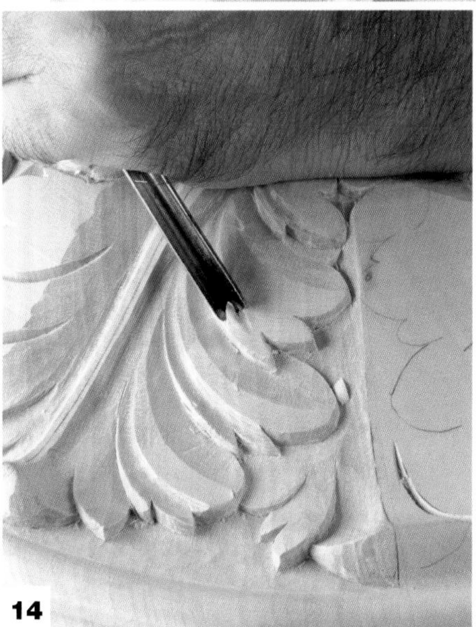

14

15 Ahora se redondea el volumen final de cada lóbulo con una gubia entreplana ancha, trabajando en sentido transversal a la veta.

16 Se definen los diferentes lóbulos marcando el perfil con una gubia entreplana.

17 Seguidamente, se marcan las nervaduras secundarias que llegan desde la nervadura central hasta los lóbulos con una gubia de cañón estrecho. En este caso, el corte sigue la dirección de la veta.

15

16

17

18

19

20

21

18 y **19** El trabajo prosigue en orden hasta finalizar.

20 Se tiñe la madera con nogalina y se deja secar.

21 Se lija en el sentido de la veta con un papel de lija de grano fino para eliminar el exceso de tinte. Se elimina el polvo con un trapo de algodón y se acaba con tapaporos y cera. Una vez seca la cera se abrillanta con el trapo.

El rosetón instalado en el techo forma parte de la decoración.

Cuadro en **relieve**

En el presente ejercicio se muestra la creación de un cuadro en relieve, un bodegón de frutas de invierno en pino Flandes. La composición se copia sobre la madera mediante el método de galga, verificando las medidas y las coordenadas con los compases durante todas las fases del proceso, para rectificar si es necesario. Se trabaja en talla directa empleando diferentes gubias planas y de codillo. En los pasos se pone de manifiesto la importancia de la perspectiva en esta composición.

1 y **2** El modelo en escayola se ha confeccionado con un molde conseguido a partir del original en arcilla (véase pág. 40). La composición se reproduce sobre el bloque de madera mediante el sistema de copia a galga (véanse págs. 48-49).

1

2

3 Se fija el bloque a la superficie de trabajo con un sargento provisto de una pieza de madera. Se marca el perímetro del motivo con una gubia plana dejando cierto margen entre el corte y el dibujo.

3

4

4 Se desbasta el fondo con una gubia entreplana. Partiendo de la parte frontal se realizan cortes transversales a la dirección de la veta, desplazándola hacia delante para que se desprendan los trozos.

5 De este modo, se desbasta todo el fondo del cuadro hasta llegar al nivel deseado, que coincide con el del modelo.

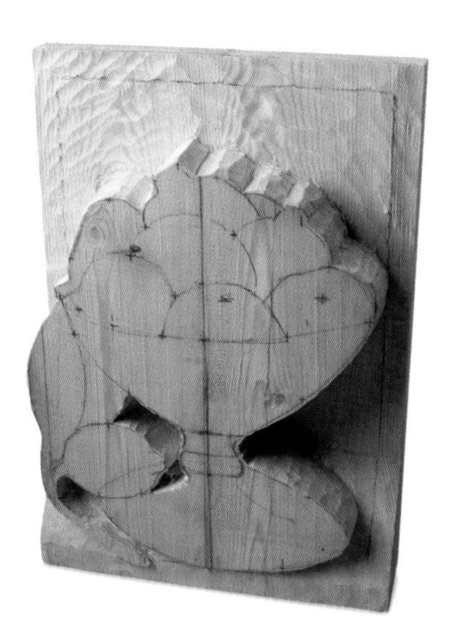

5

6

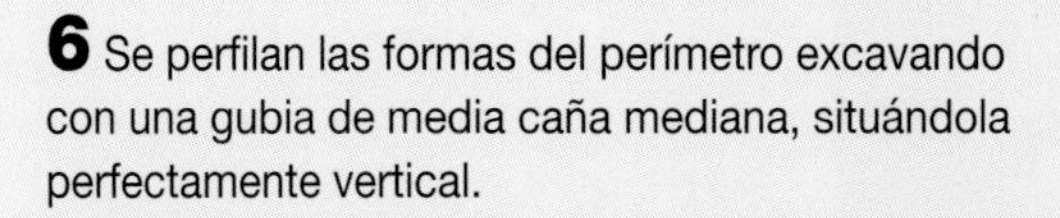

6 Se perfilan las formas del perímetro excavando con una gubia de media caña mediana, situándola perfectamente vertical.

7 Se marca el perímetro interior del marco con una gubia de media caña estrecha y se rebaja el fondo de la composición con una gubia entreplana trabajando en dirección transversal a la veta.

8 Tomando el modelo como referencia, se marca la situación, es decir, el volumen de cada elemento.

7

8

9

9 Con una gubia entreplana mediana se marcan los contornos de las frutas. Se mantiene la herramienta vertical mientras se golpea con la maza.

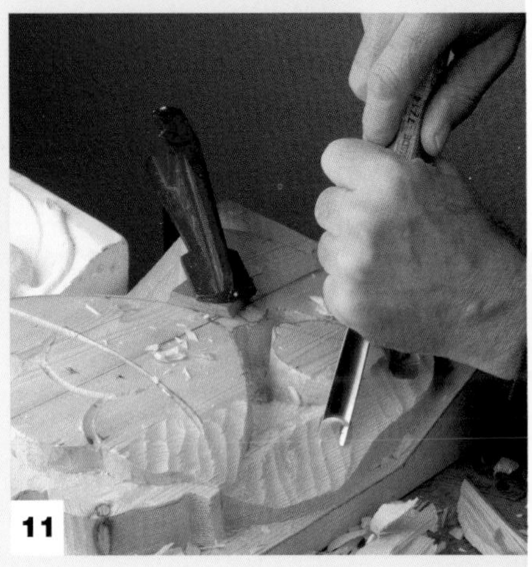

11

10

12

10 Se rebaja la madera de cada elemento hasta llegar a la marca de lápiz con una gubia de media caña mediana, trabajando transversalmente a la veta.

11 Durante todo el proceso se toma el modelo como referencia. Se empieza a modelar los volúmenes de la hoja y la copa con una gubia de media caña ancha.

12 Se modela el volumen general de la copa y de algunas frutas.

13 Ahora se modela el pie de la copa, rebajando la madera con una gubia entreplana ancha.

14 Se entalla el nudo del pie, dándole forma con una gubia de media caña mediante un corte transversal a la veta de la madera.

13

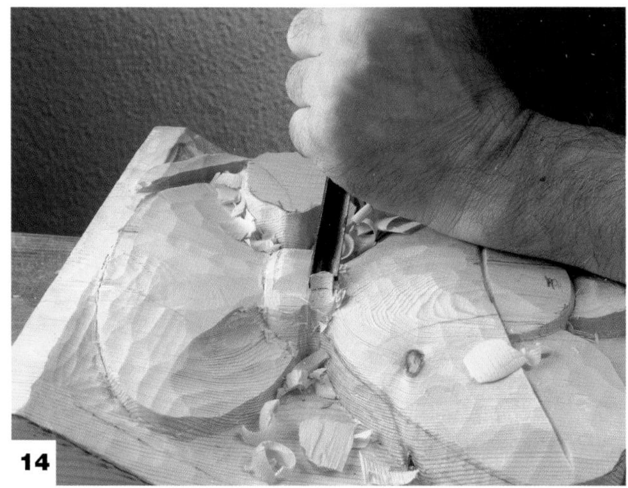

14

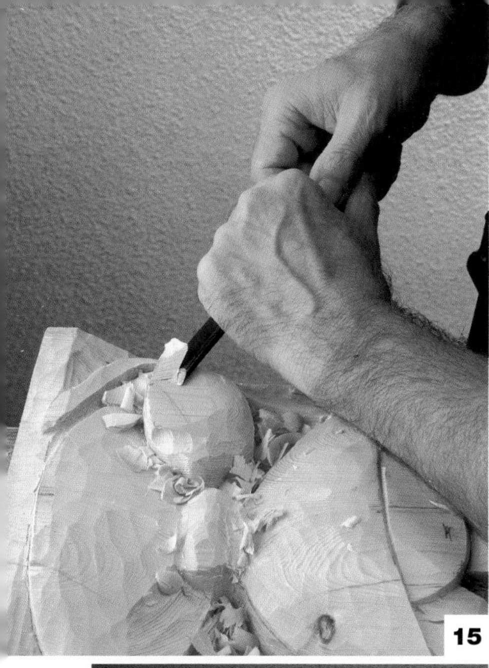

15 Con una gubia plana mediana se consigue el volumen del limón. Se trabaja realizando cortes desde la parte central de la fruta hacia el exterior para redondear la forma. Se prosigue igual con los demás frutos.

16 En esta fase del trabajo se han conseguido los volúmenes generales de la composición.

"Durante todo el proceso se toma el modelo como referencia. Se empieza a modelar los volúmenes de la hoja y la copa con una gubia de media caña ancha."

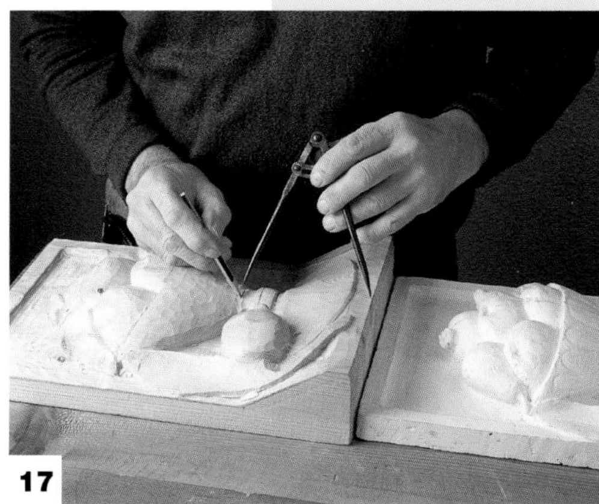

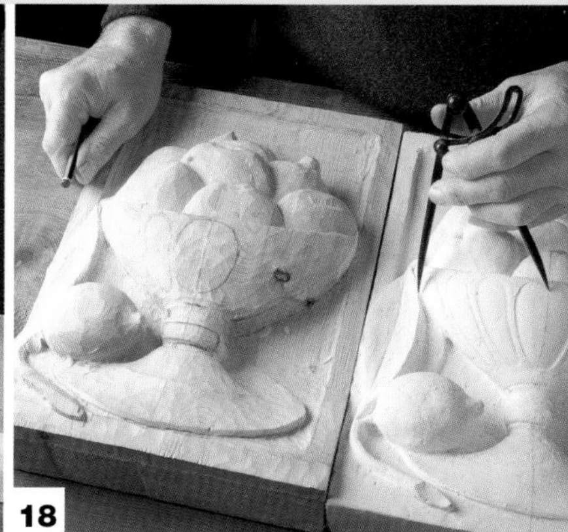

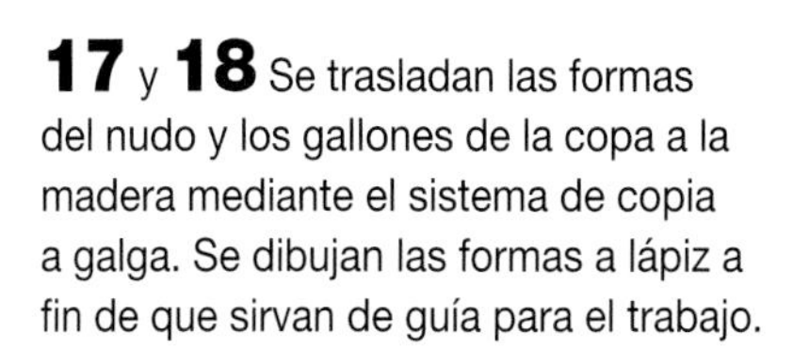

17 y **18** Se trasladan las formas del nudo y los gallones de la copa a la madera mediante el sistema de copia a galga. Se dibujan las formas a lápiz a fin de que sirvan de guía para el trabajo.

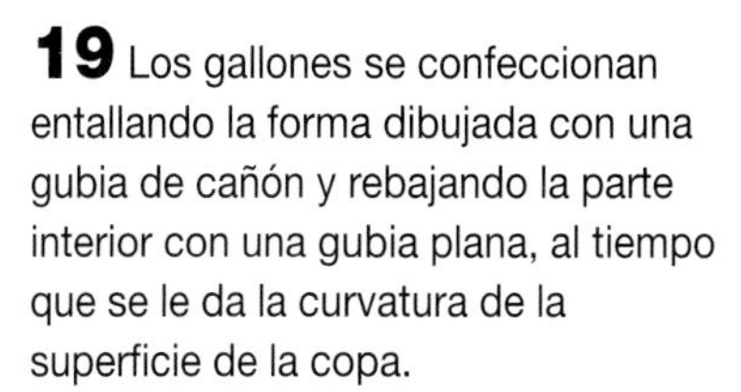

19 Los gallones se confeccionan entallando la forma dibujada con una gubia de cañón y rebajando la parte interior con una gubia plana, al tiempo que se le da la curvatura de la superficie de la copa.

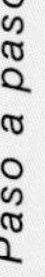

20 Se marca a lápiz la forma de la parte superior de las frutas, donde se fijaba el vástago, tomando como referencia el modelo, y se entalla con una gubia de cañón estrecha.

21 La zona se trabaja perfilando con la gubia de cañón y modelando luego la forma de cada fruta con una gubia entreplana ancha.

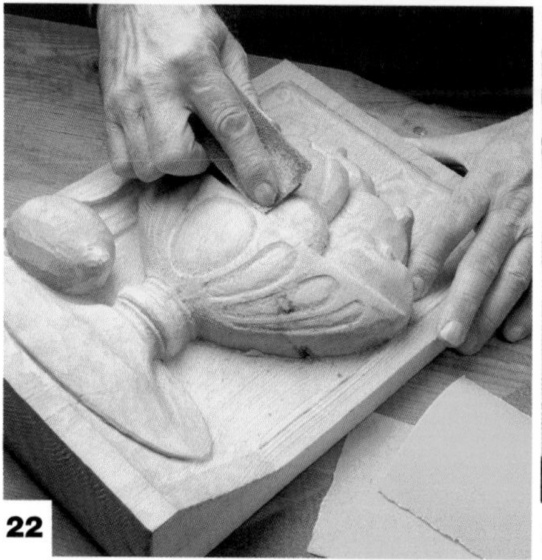

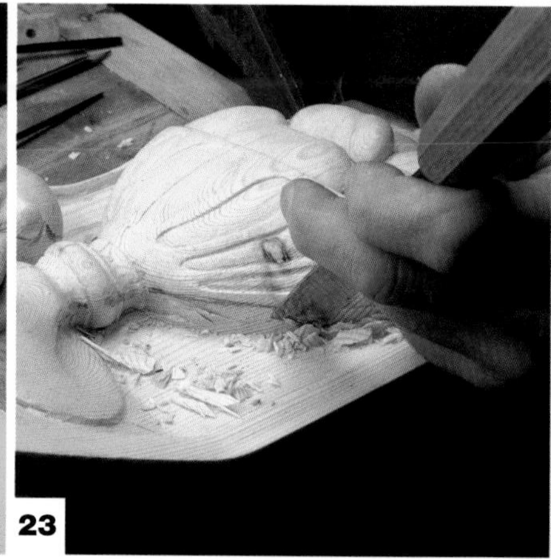

22 Se lija la superficie de la madera frotando con un papel de lija de grano fino en el sentido de la veta.

23 Se entalla la parte posterior del relieve con una gubia entreplana ancha. Mediante el lijado anterior se ha rebajado parcialmente el perfil y se ha conseguido que se ajuste en gran medida a la forma. Así pues, sólo queda rebajar la parte posterior ajustando los volúmenes del relieve a los del modelo.

24 Para terminar, se lija la madera con un papel de grano extrafino, siguiendo el sentido de la veta.

Para dar el acabado final se aplica tapaporos y cera. Aspecto del cuadro una vez finalizado.

Panel decorativo en **bajorrelieve**

A continuación, se explican los pasos para crear un panel decorativo en bajorrelieve realizado en madera de caoba. La composición, original de Mariano Piñar, se basa en un repertorio de formas ornamentales (mascarón, volutas, macollas, frutos, etc.) que definen el estilo renacentista y se traslada sobre el bloque de madera con una plantilla mediante calco.
El trabajo se realiza mediante talla directa con diferentes gubias. Conocer las vetas y contravetas de la madera es aquí de vital importancia para progresar adecuadamente en esta disciplina.

1

2

1 La composición se articula en torno a un eje de simetría central, por lo que se emplea una plantilla de la mitad del motivo para realizar el calco sobre la madera con papel carbón.

2 Se fija la madera a la superficie de trabajo con un sargento provisto de una pieza de madera. Se marcan las formas del motivo entallando las líneas del diseño con una gubia en V estrecha.

3

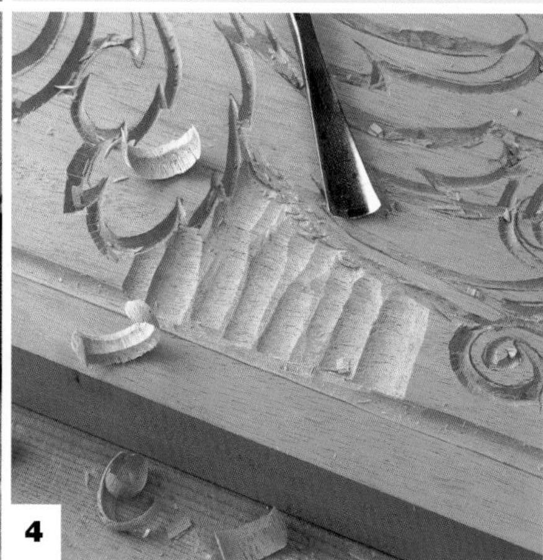
4

3 Se marca el perímetro del fondo con una gubia de cañón mediano para delimitarlo respecto del marco.

4 A continuación, se excava dicho fondo desbastándolo en dirección transversal a la veta con una gubia recta en media caña.

5

6

7

5 Se acaba de entallar el fondo, dejándolo perfectamente nivelado, con una gubia recta de media caña estrecha.

6 Ahora se modelan los planos de las curvaturas con una gubia entreplana ancha. Se efectúa el corte partiendo de la dirección de la veta.

7 Se modelan las hojas con una gubia de media caña estrecha, tallando en dirección transversal a la veta, desde el exterior hacia la parte baja, para otorgarles volumen.

8 La separación de estos dos elementos se define marcando la línea con una gubia entreplana ancha. Ésta se sitúa vertical y se golpea con la maza.

9 Se modela la parte central de la voluta excavándola con una gubia entreplana. Se efectúa el corte desde el exterior de la forma hacia el interior.

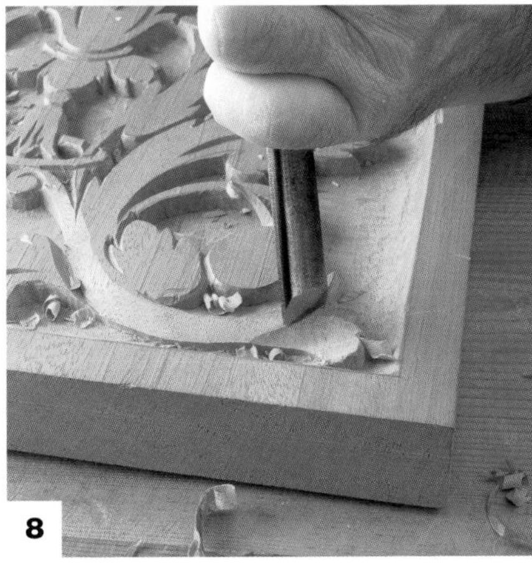

8

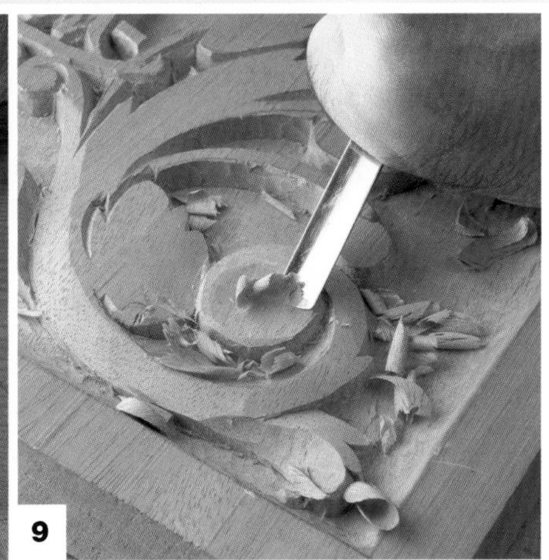

9

10

10 Acto seguido, se modelan los elementos frutales situados a los lados del mascarón con la misma gubia, siguiendo el proceso explicado en el ejercicio anterior (véanse págs. 85-86).

11 Se perfilan los volúmenes del mascarón con una gubia entreplana mediana, trabajando la madera en la dirección de la veta. Se redondean las diferentes partes de la cara.

12 Con una gubia entreplana mediana se entalla la zona de los rayos cercanos al mascarón para separarlo, situándolos bajo éste.

13 Se modela la superficie de los rayos con una gubia de cañón estrecho siguiendo las formas del motivo.

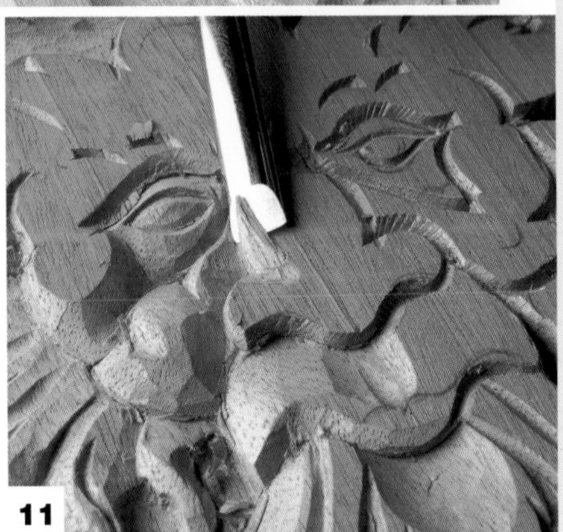

11

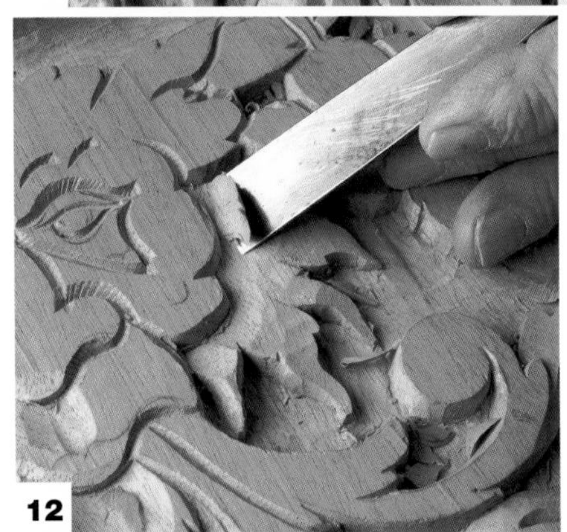

12

"Se perfilan los volúmenes del mascarón con una gubia entreplana mediana, trabajando la madera en la dirección de la veta."

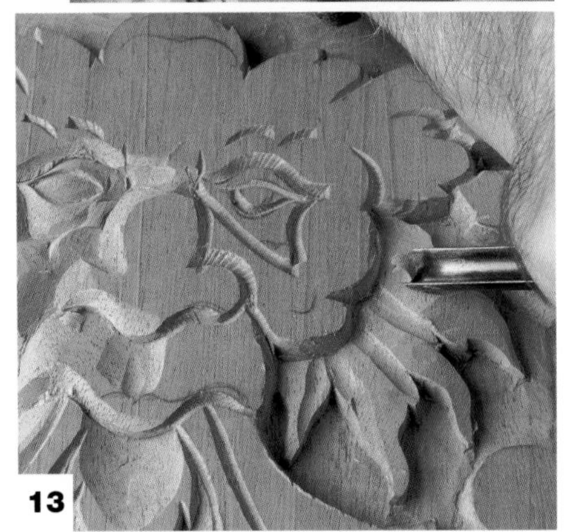

13

Aspecto del panel una vez finalizado. Se le ha aplicado un acabado de tapaporos y cera de color natural.

Retrato **infantil**

Aquí se muestra el proceso de creación de un retrato en bajorrelieve en madera de bossé. Se confecciona en talla directa, con una plantilla conseguida a partir de una fotografía digital y empleando diferentes gubias según el trabajo que se realice. Para llevar a cabo un retrato y conseguir el parecido con el modelo, es fundamental entender las proporciones de la cara y la distribución de los tercios del rostro a fin de efectuarlos correctamente; asimismo, en el relieve resulta esencial ordenar los planos de los volúmenes.

1

1 Para crear la plantilla se ha realizado una fotografía digital del perfil de un niño y se ha ampliado sobre papel. Éste se pega con cola blanca sobre el bloque de madera y se deja secar.

2 Se fija dicho bloque a la superficie de trabajo con un sargento provisto de una pieza de madera. Se marca el perímetro del retrato con una gubia entreplana en vertical golpeando con la maza, dejando cierto margen.

3 Con lápiz se marca en el lateral del bloque el grosor que tendrá la pieza y se desbasta el fondo con una gubia de media caña ancha, trabajando en sentido transversal a la veta.

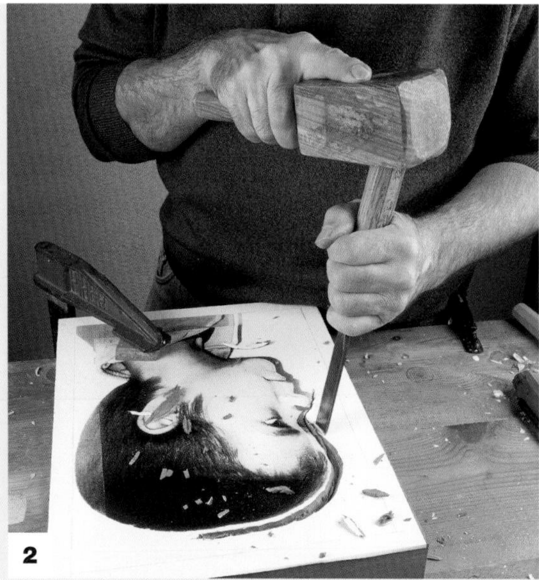
2

3

4

4 Se confecciona el fondo y se perfila la silueta según el sistema explicado en los dos ejercicios anteriores (véanse págs. 82-84 y 88-89).

5 Con una gubia recta con boca de V estrecha se resigue el contorno del cabello, de la oreja y la ropa de la imagen.

6 Se rebaja con una gubia plana ancha la parte posterior de la camisa, para empezar a situar los volúmenes de la ropa.

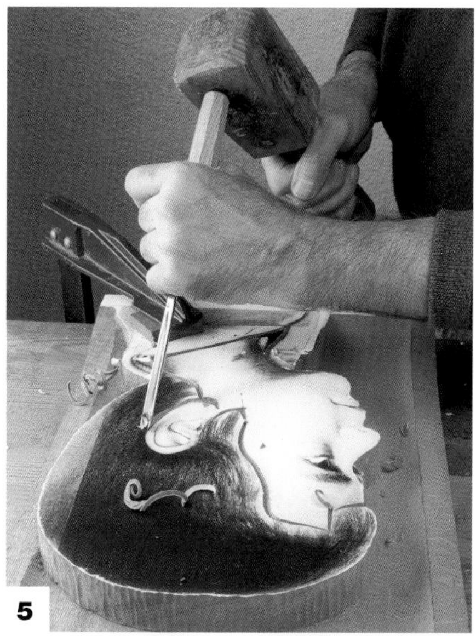

5

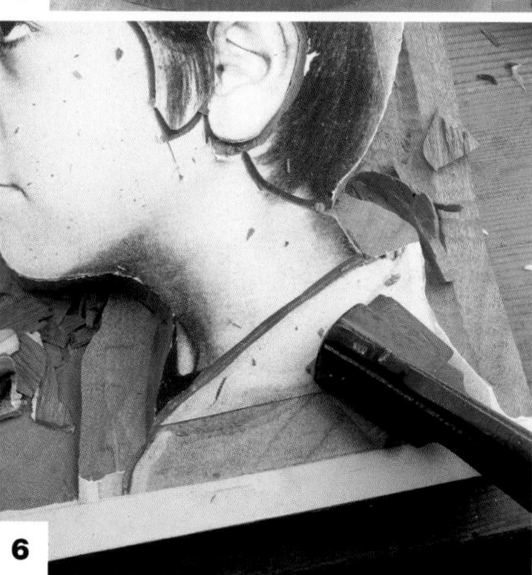

6

7 Tomando la fotografía ampliada a tamaño real como referencia, se marca con tiza la zona del parietal, la más prominente del cráneo. También se marca a lápiz las zonas de curvatura. Se desbasta la zona redondeándola con una media caña.

8 En el lateral de la silueta se marcan las líneas que definirán los planos del retrato, es decir, donde se situarán las distintas partes del rostro. La línea inferior corresponderá al plano central del rostro. Se rebaja y se deja al nivel deseado el plano de las pestañas de la otra mitad de la cara.

7

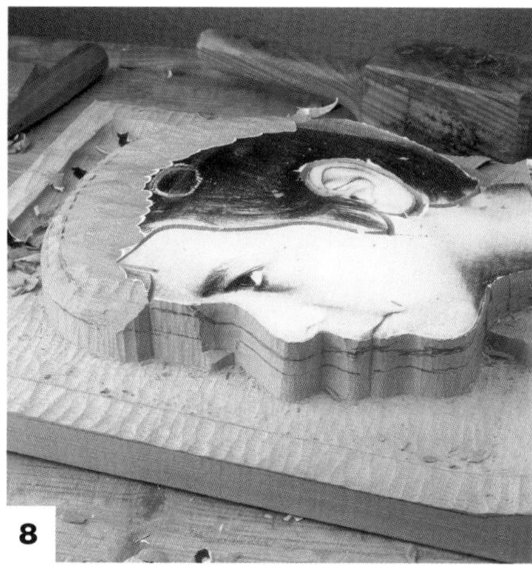

8

9 Se marca a lápiz la zona sobresaliente de la mejilla y la frente. Con un cañón se señala el perfil de la mejilla, la cuenca ocular, la parte inferior del óvalo de la cara y el cuello.

10 Se trabaja la zona con una gubia de media caña, rebajando la superficie con una suave inclinación hasta la línea superior marcada en el lateral.

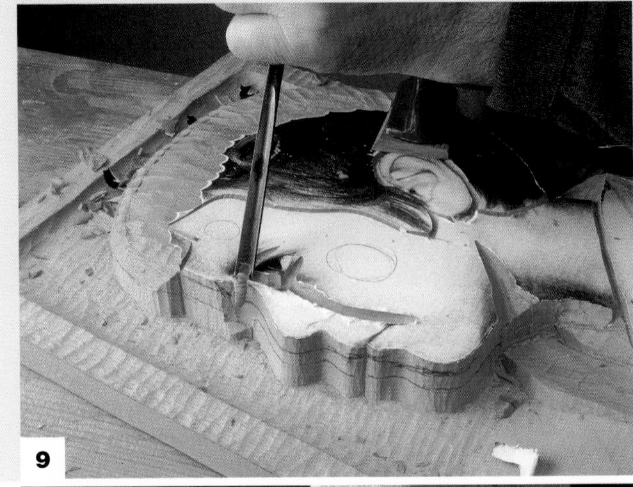

9

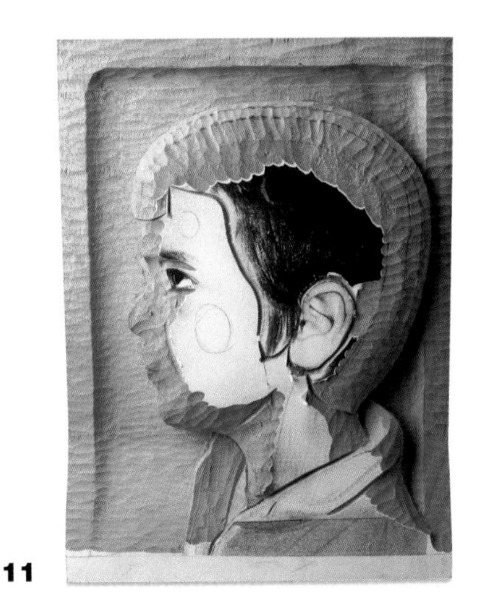

11

11 Se redondea la cabeza siguiendo las líneas del perfil, de tal manera que la parte posterior quede en consonancia con el cuello y la oreja algo por encima de éste.

10

12 Se prosigue desbastando la frente, la sien, la mejilla y el cuello, marcando la disposición del músculo. Tomando la fotografía como referencia se dibuja a lápiz la forma de la ceja, la nariz, la boca y el mentón, y se marca mediante rayado las zonas que se desea rebajar.

13 Se desbasta la parte lateral del mentón y la superior de la nariz, se perfila la forma de la boca y la nariz, así como la curvatura de la mejilla.

12

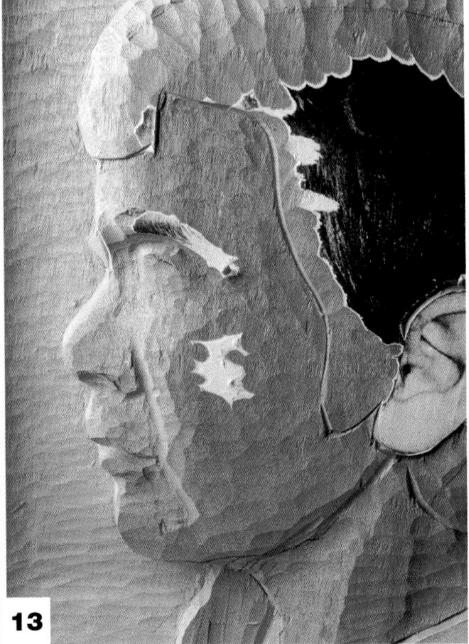

13

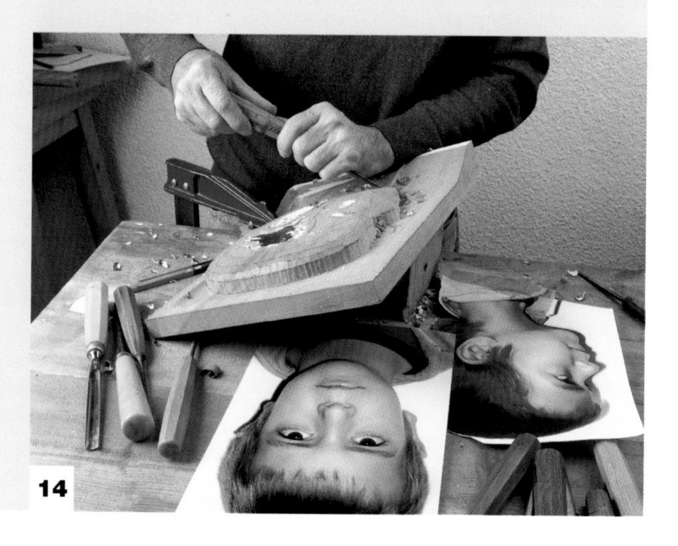

14 Se trabaja siempre tomando como referencia fotografías frontales y de perfil a tamaño real del niño para ajustar las proporciones y la expresión del retrato.

"En el lateral de la silueta se marcan las líneas que definirán los planos del retrato, es decir, donde se situarán las distintas partes del rostro."

15 Los planos de la obra se corresponden con los del rostro del modelo, situándose cada elemento en su plano correspondiente.

16 Con una gubia entreplana estrecha se sitúa el ojo, marcando la forma del perfil.

17 Se redondea el mentón y la nariz. También la ceja, que sobresale ligeramente respecto del plano de la frente.

18 Con una gubia plana se perfila el pómulo y la mejilla.

19 y **20** Se marca la forma de la oreja con una gubia de cañón, y se trabaja siguiendo las formas de la imagen en el papel con una gubia de media caña mediana.

18

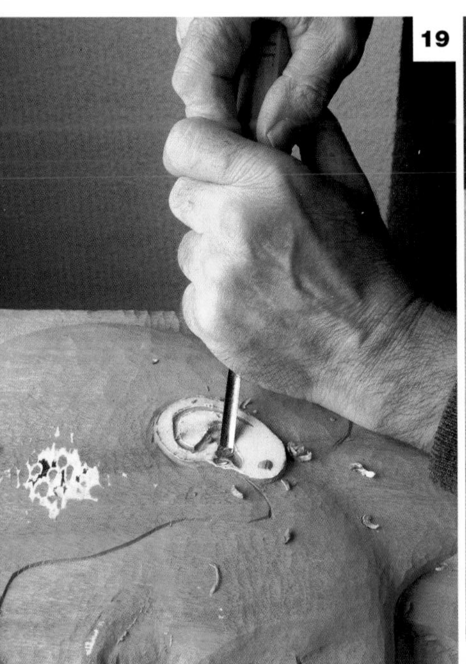

19

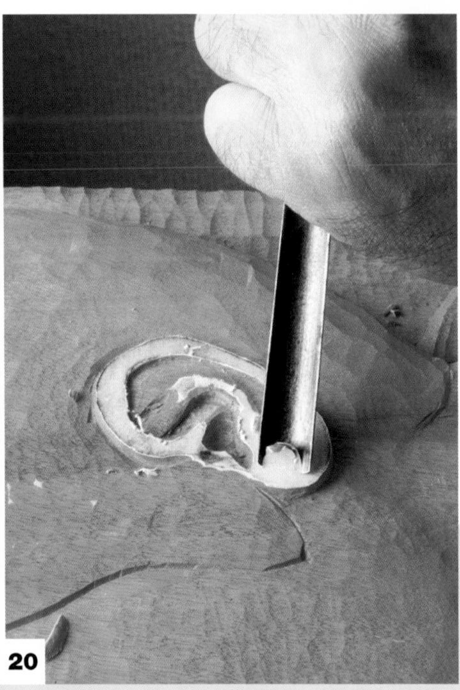

20

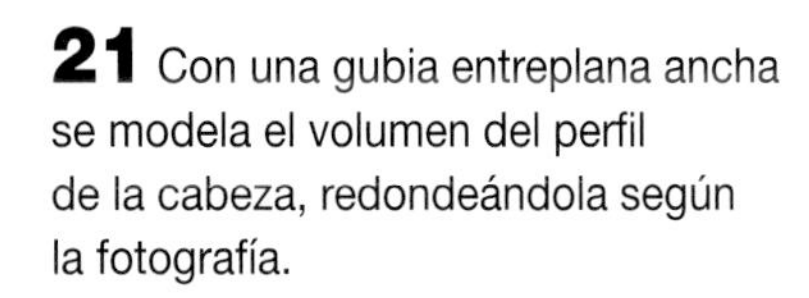

21 Con una gubia entreplana ancha se modela el volumen del perfil de la cabeza, redondeándola según la fotografía.

22 Se modela la ropa perfilando el inicio del hombro y su curvatura, así como el pliegue frontal. También los pliegues de la ropa en la parte posterior del cuello.

21

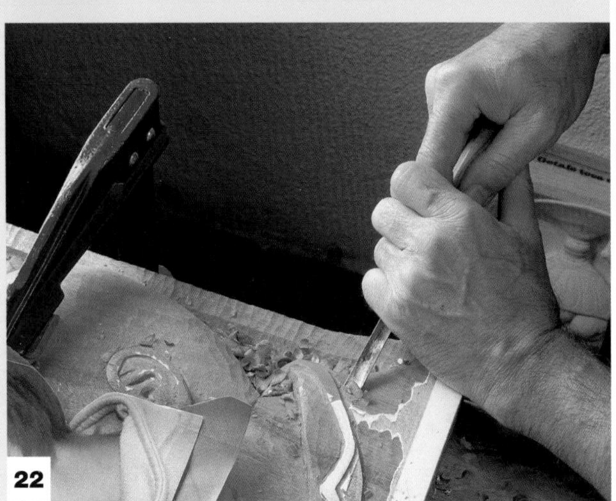

22

23

24

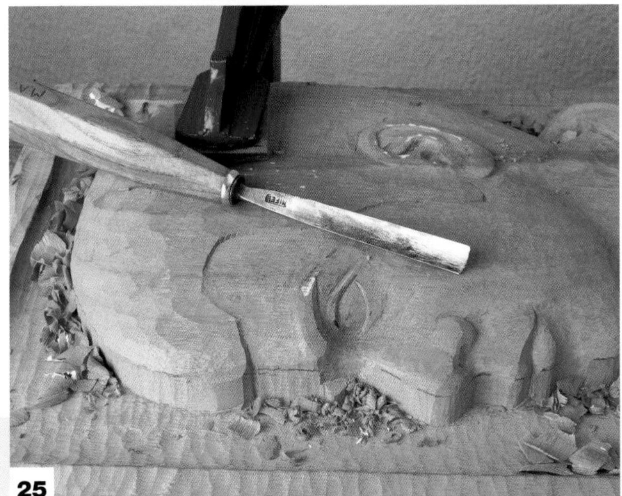

25

“Se trabaja siempre tomando como referencia fotografías frontales y de perfil a tamaño real del niño para ajustar las proporciones y la expresión del retrato.”

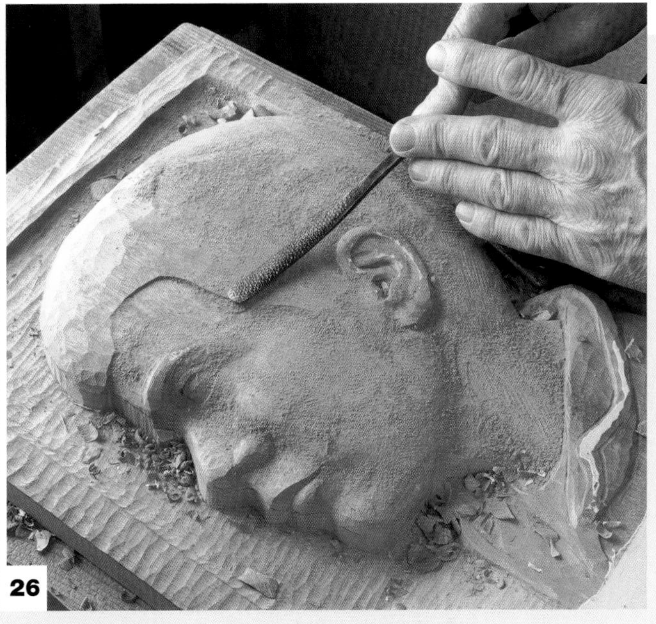

26

23 Tomando como referencia las fotografías se corrige a lápiz la forma del ojo y del párpado inferior.

24 Mediante una suave incisión con una gubia con boca en V se marca el perfil de la forma.

25 Se redondea la zona antes delimitada con una gubia entreplana mediana para conseguir el volumen del ojo, también se da forma al párpado inferior.

26 Se liman las superficies del relieve para eliminar las marcas de las gubias y acabar de redondear y ajustar algunas partes.

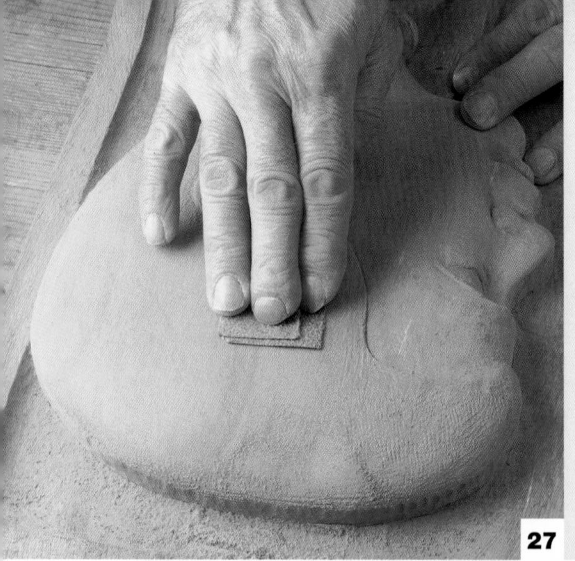

27

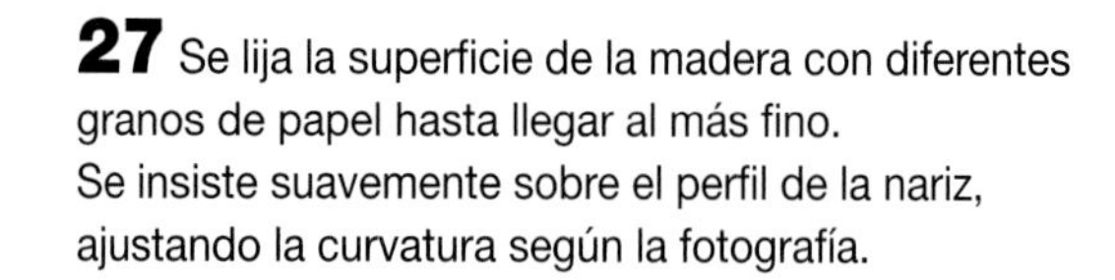

27 Se lija la superficie de la madera con diferentes granos de papel hasta llegar al más fino. Se insiste suavemente sobre el perfil de la nariz, ajustando la curvatura según la fotografía.

28 Con una gubia entreplana mediana se entalla la parte correspondiente a la otra mitad de la cara, para acentuar el relieve.

29 En esta fase es posible realizar pequeñas modificaciones en las formas de algunas partes ajustando las proporciones y la expresión del retrato a las de la fotografía. En este caso, se modifica la forma y el tamaño del ojo.

30 Con una gubia con boca de V estrecha se realizan incisiones para sugerir el cabello, sobre todo en el flequillo, los mechones situados delante y sobre la oreja y la parte posterior de la cabeza. Se marca también la ceja.

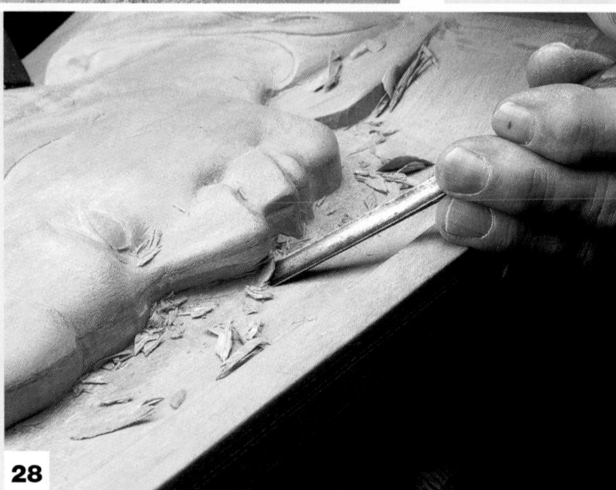

28

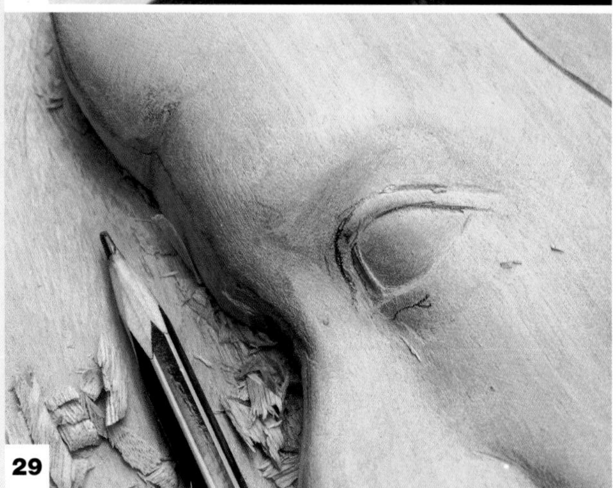

29

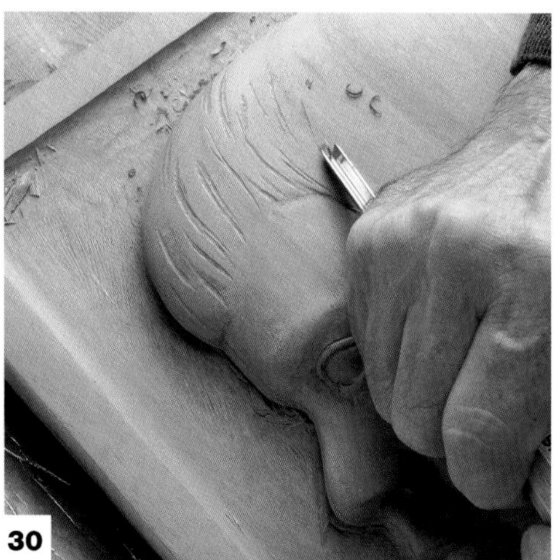

30

El retrato finalizado, una vez aplicado un acabado con tapaporos y cera.

MEDINA AYLLON 06

Ménsula de **estilo**

En las siguientes páginas, se explica el proceso de creación de una ménsula, un soporte decorativo en madera de tilo. Se confecciona en talla directa a partir de las formas trasladadas sobre la madera con ayuda de una plantilla de papel, una fotocopia ampliada, donde se han recortado los perfiles de los motivos. En este ejercicio se pone de relieve la importancia de conocer los aspectos volumétricos, aplicando el repertorio de hojas de acanto en una obra con distintos volúmenes interrelacionándolos.

1 Se proyecta la ménsula realizando un dibujo de la vista frontal y de perfil a lápiz sobre papel. La forma de la pieza la define el juego de voluta y contravoluta del perfil.

1

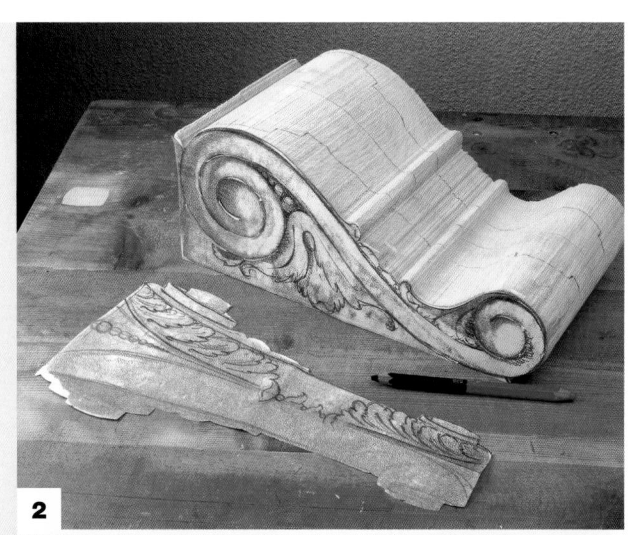

2

3

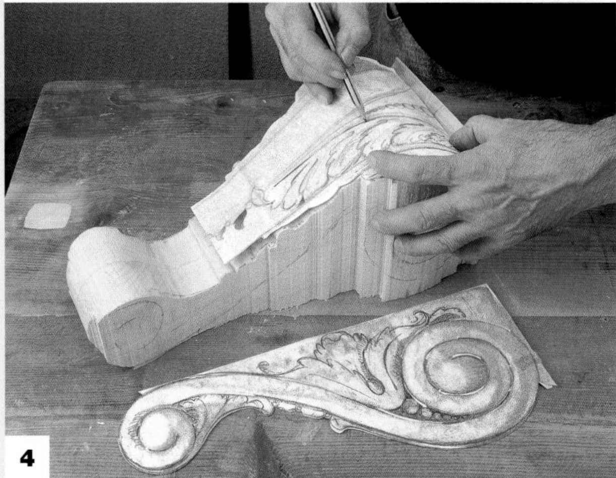

4

2 y **3** Se prepara un bloque de madera, se marca el perfil del lateral de la ménsula y se siluetea con una sierra industrial. Se procede igual con el perfil frontal.

4 Con la plantilla se pasan las líneas del motivo a lápiz sobre la madera. Para ajustar las formas del diseño a los volúmenes de ésta se emplea la plantilla frontal cortada en dos, señalando primero la parte superior.

5

6

5 Se fija la madera sobre la superficie de trabajo con un sargento, situando una madera debajo calzada para que quede perfectamente horizontal. Resiguiendo las marcas a lápiz, se marca el perfil de la voluta superior y la contravoluta inferior con una gubia entreplana en vertical, golpeando con la maza.

6 Con una gubia plana ancha se desbasta la madera sobrante situada a los lados de la voluta superior. Se marca el perfil de la voluta, es decir, los volúmenes a lápiz, y se pasa con la plantilla el resto de motivos.

7

7 Con una gubia entreplana ancha se modela la voluta. Para ello se rebaja la superficie creando un plano inclinado desde el centro de la espiral hasta el exterior.

8 Con una gubia recta con la boca en V estrecha se resiguen las líneas del diseño marcando la forma de la macolla y de la unión de voluta y contravoluta.

9 Se modela la contravoluta situada en la parte inferior de la ménsula de manera similar a la voluta superior.

8

9

10 También se modelan los volúmenes de la macolla según el proceso descrito en el ejercicio del rosetón (véanse págs. 76-81) y se rebaja la madera de su perímetro con una gubia de media caña.

11 Ahora se modela la cenefa de perlas situada entre la voluta y la macolla según lo explicado en el ejercicio del marco (véanse págs. 70-75).

12 Se dibuja a lápiz el diseño de la parte inferior del frontal con la plantilla.

10

11

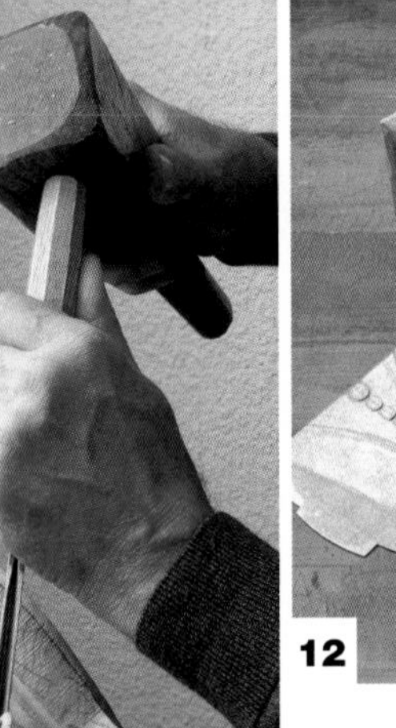

13

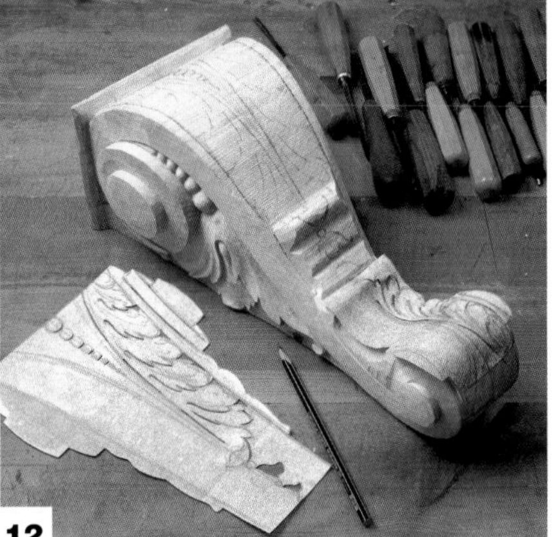

12

“Con la plantilla se pasan las líneas del motivo a lápiz sobre la madera. Para ajustar las formas del diseño a los volúmenes de ésta se emplea la plantilla frontal cortada en dos, señalando primero la parte superior.”

14

13 Se marca el perfil de la hoja de acanto con una gubia de cañón. El proceso de talla de los motivos del frontal sigue pasos similares a los desarrollados en el ejercicio del rosetón.

14 La hoja de acanto que cubre la contravoluta sigue el mismo proceso que la anterior.

Se tiñe la madera con anilina al alcohol de color pardo nogal muy diluido. Luego se aplica una capa de goma laca.

Máscara decorativa **tradicional**

En este ejercicio se aborda la realización de una máscara decorativa en madera de ciprés inspirada libremente en el arte tradicional de la Columbia Británica en Canadá. La máscara se realiza mediante talla directa a partir de un modelo de escayola, empleando diferentes gubias. El proceso se lleva a cabo trabajando por planos, mostrando las diferentes formas de sujeción del bloque según el proceso de trabajo. El ahuecado de la máscara ejemplifica la relación volumétrica entre concavidad y convexidad, con la dificultad de conseguir un grueso uniforme.

1 Se ha creado un modelo en escayola de una máscara libremente inspirada en el repertorio formal del arte tradicional de la Columbia Británica. Para realizarla se ha escogido un bloque de madera de ciprés.

2 Se marcan con tiza los contornos del siluetеado. Se sitúa la nariz, las zonas superior e inferior de la cara y la forma general triangular de la máscara en función de las proporciones del modelo.

3 Primero se sujeta la madera sobre el banco de trabajo con un sargento. Se siluetea la forma general de la obra, cortando la madera con la sierra eléctrica.

4

5

4 El resultado es un bloque de planta triangular. Se sitúa en el interior de un tornillo provisto de base de madera fijado a la superficie de trabajo con unos sargentos.

5 Se siluetea el perfil según el proceso descrito en el apartado de procesos técnicos (véase pág. 45).

6 Tomando el modelo como referencia, se marcan con tiza los perfiles de los volúmenes y las formas de la máscara en los dos laterales del bloque de madera.

7 Con una gubia entreplana ancha y golpeando con una maza, se corta en la dirección de la veta. A continuación, se desbasta la parte superior de la nariz siguiendo el perfil marcado.

6

7

8

9

8 y **9** La realización de obras con volumen requiere el empleo de diversos sistemas de sujeción. Se desbastan los planos laterales de la parte inferior de la máscara (la situada bajo la nariz), siguiendo las líneas, con la misma gubia.

“La realización de obras con volumen requiere el empleo de diversos sistemas de sujeción.”

10

11

12

10 y **11** Se marcan los planos laterales de la parte superior de la máscara y se realiza el desbastado.

12 Para trabajar con comodidad desde todos los ángulos se fija el bloque de madera en el tornillo de modelista sujeto al banco. Se sitúan piezas de madera en los extremos de la mordaza para evitar marcar la obra.

13 Se dibuja la situación general de todos los elementos de la cara.

14 Primero se talla la zona de los ojos. Con una gubia recta con boca en V se marca el contorno de las cejas y con una de boca de cañón la forma de los ojos.

14

13

15

16

17

15 Se dibuja el perfil de la boca con detalle, así como las zonas que hay que rebajar, es decir, los lados de la boca y la parte inferior de la nariz.

16 Con la misma gubia que en el caso anterior, se perfila la aleta de la nariz y la forma de la boca.

17 Se desbasta el interior de la boca y la zona a su alrededor hasta la altura de las aletas de la nariz.

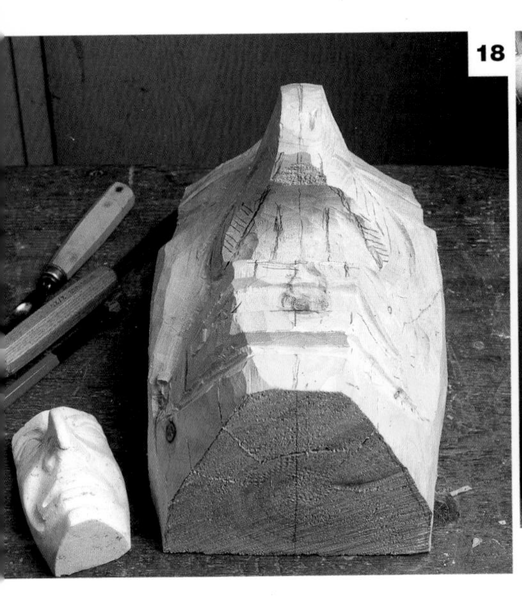

18 Se compara el perfil del modelo con el de la obra y se marcan las zonas que hay que entallar rayando la superficie de la zona que se debe eliminar.

19 Con una gubia de media caña mediana se modela la forma de las aletas de la nariz. Se trabaja en el sentido transversal a la veta. Luego se entalla dando forma a la parte inferior de la nariz.

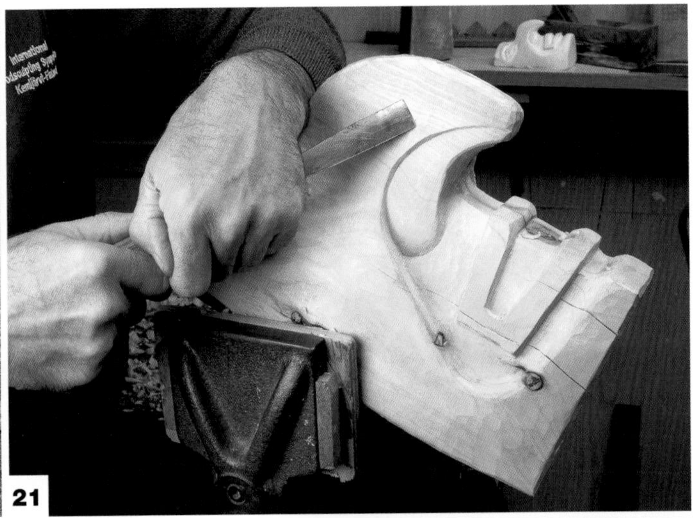

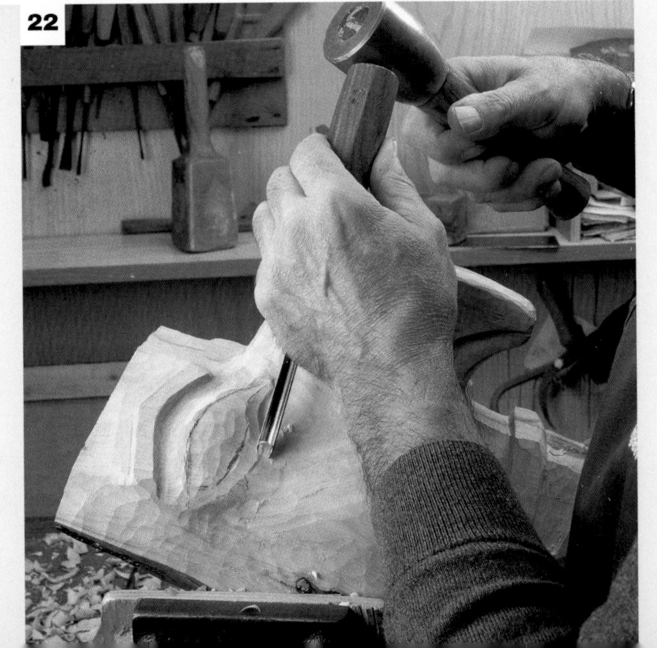

20 Se compara la talla con el modelo y se comprueba que es necesario rebajar la anchura de la parte más saliente de la nariz.

21 Con una gubia entreplana se modelan los planos laterales de la nariz, trabajando en sentido transversal a la veta para rebajar el grosor.

22 Se perfila el párpado inferior de los ojos siguiendo la línea marcada con una gubia de cañón.

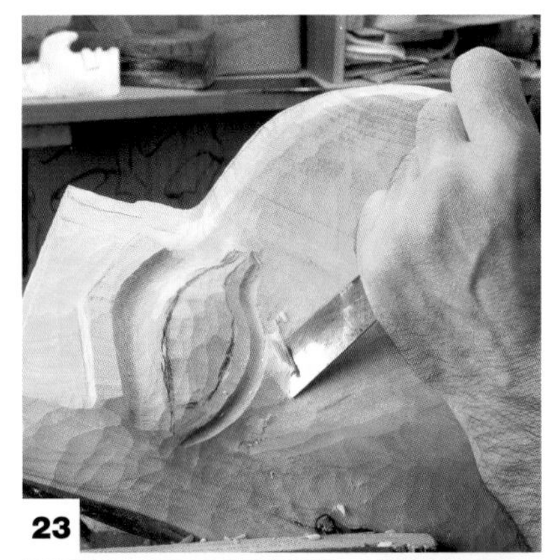

23

"Se excava la parte posterior de la máscara ahuecándola mediante diferentes gubias."

23 Trabajando en el sentido de la veta de la madera se rebaja la parte situada bajo el corte anterior con una gubia entreplana. Con ello se consigue resaltar la forma del ojo respecto del plano de la cara.

24

24 Con una gubia en V se marca la forma interior del ojo. De este modo, se delimitan los párpados respecto del interior del ojo.

25 Se modela el ojo redondeando la superficie con una gubia plana ancha. Con un cañón se efectúa una incisión circular marcando el iris de los ojos, también se marcan los dientes.

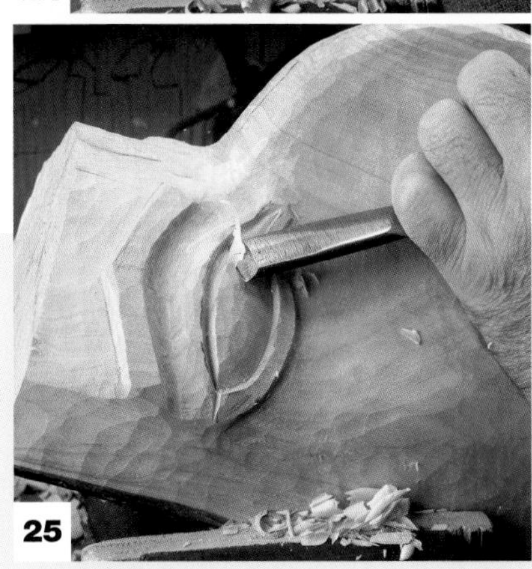

25

26

26 y 27 Se excava la parte posterior de la máscara ahuecándola mediante diferentes gubias como codillos o rectas con boca de media caña.

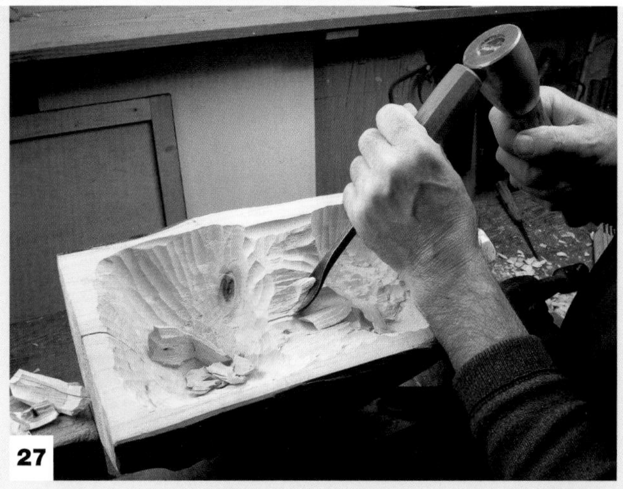

27

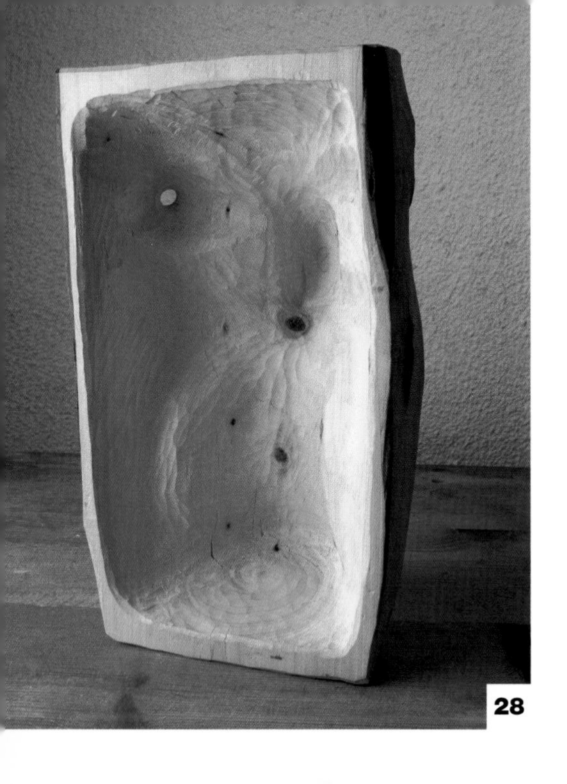

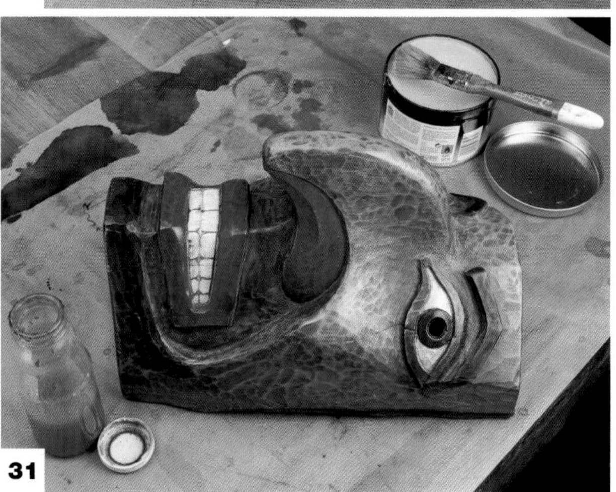

28 El ahuecado sigue las formas exteriores de la máscara. Se practica un orificio en el centro de cada iris a manera de pupila. Se reparan las grietas de la madera (véanse págs. 66-67).

29 La obra recibe un acabado policromado. Se pintan los labios y las aletas de la nariz con pintura acrílica.

30 También se pinta el interior del ojo y los dientes con pintura acrílica y se emplean anilinas al alcohol para policromar el resto de elementos. Se deja secar.

31 Se aplica una capa de goma laca coloreada con una pequeña cantidad de anilina al alcohol de tono verdoso y se deja secar. A continuación, se aplica a pincel una capa de cera en crema de color amarillo. Se deja secar y se pule con un trapo de algodón.

La máscara decorativa una vez finalizada.

Escultura **zoomorfa**

A continuación, se explica el procedimiento utilizado para realizar una escultura de un gato en madera de cerezo. La obra se lleva a cabo a partir de un modelo en arcilla, empleándose plantillas para su reproducción sobre la madera, y se trabaja en talla directa. En el proceso se muestra el sistema para desarrollar una escultura de bulto redondo a partir de perfiles, el empleo del tornillo para sujetarla y la talla mediante diversas gubias y escofinas.

1

1 Se confecciona un modelo de la escultura en arcilla, de dimensiones inferiores a las de la obra.

2 A partir de este modelo en arcilla se realizan dos plantillas, según lo explicado en el apartado de plantillas para bulto redondo (véase pág. 47). Se marca el perfil lateral a lápiz sobre un bloque de cerezo previamente preparado.

3 Se siluetea en el taller de carpintería con la sierra de cinta, y se marca a lápiz el perfil frontal con la otra plantilla.

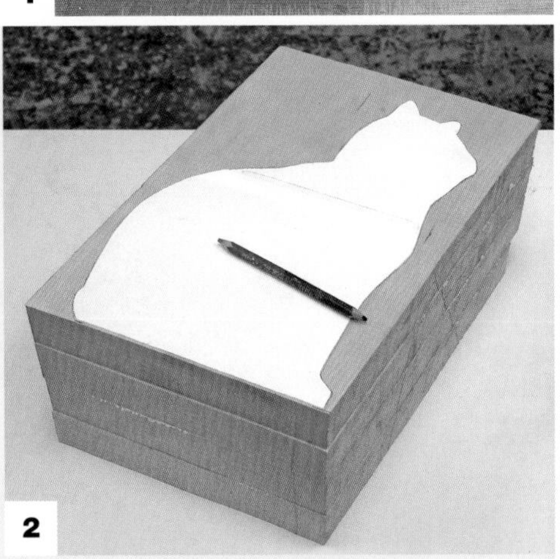

2

3

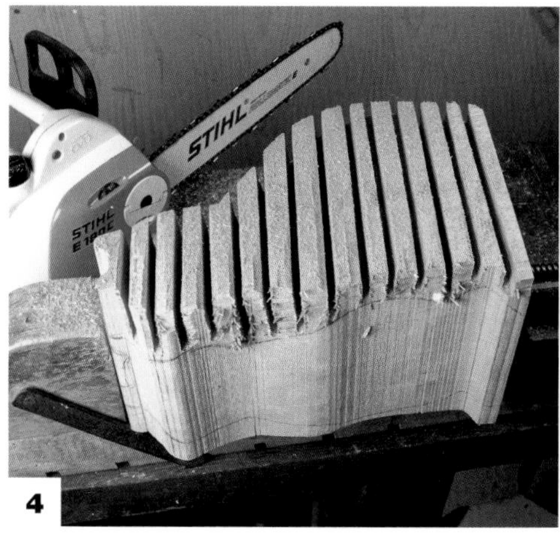

4

5

4 Se fija el bloque de madera en el tornillo con base de madera y se siluetea el perfil frontal. Se practican varios cortes paralelos entre sí y perpendiculares a la línea con la sierra eléctrica, dejando un pequeño margen.

5 Siguiendo la dirección de las fibras de la madera se cortan los fragmentos de madera por la base con una gubia ancha de boca entreplana hasta llegar al cuello.

6 Dado que cambia la dirección de la veta, se efectúan los cortes en sentido opuesto para perfilar la cabeza. Se repite el proceso para perfilar el otro lado.

6

7 Se fija el bloque de madera al banco de trabajo con el tornillo fijo. Se practica un orificio en la base de la escultura de diámetro ligeramente menor que el de la rosca del huso.

8 Ahora se rosca el huso a la base del bloque de madera con la palomilla a modo de llave fija.

7

8

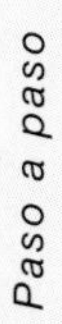

9 Se dispone el huso atravesando el banco de trabajo. Se rosca en la parte inferior una pieza de madera para evitar un recorrido excesivo de la palomilla y se atornilla apretando la llave de tuerca.

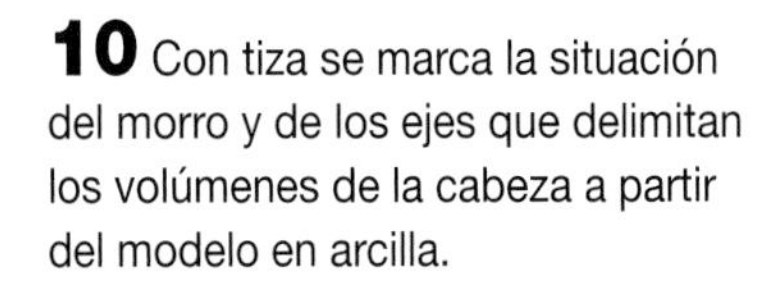

10 Con tiza se marca la situación del morro y de los ejes que delimitan los volúmenes de la cabeza a partir del modelo en arcilla.

11 Se desbastan las partes anterior y posterior de la cabeza siguiendo los ejes, efectuando cortes transversales en la dirección de la veta con una gubia de media caña.

12 Para trabajar el cuerpo se eleva la escultura con un par de piezas de madera intercaladas entre ésta y el banco de trabajo, y después se aprieta firmemente el tornillo. Tomando el modelo en segundo plano como referencia se marca la situación de la cola, las patas posteriores, los omóplatos y la columna vertebral.

13

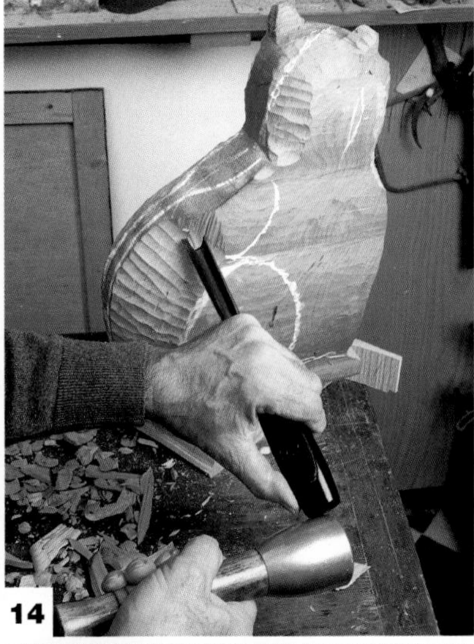

14

13 Se desbasta el plano de un flanco posterior con una gubia de media caña ancha, trabajando en dirección transversal a la veta.

14 Seguidamente, se desbasta el otro plano de igual manera, con la misma gubia y golpeando con la maza.

15 El dominio del corte es fundamental cuando se trabaja en dirección transversal a la veta, pues la madera se puede astillar y entonces el resultado es difícil de controlar.

"El dominio del corte es fundamental cuando se trabaja en dirección transversal a la veta."

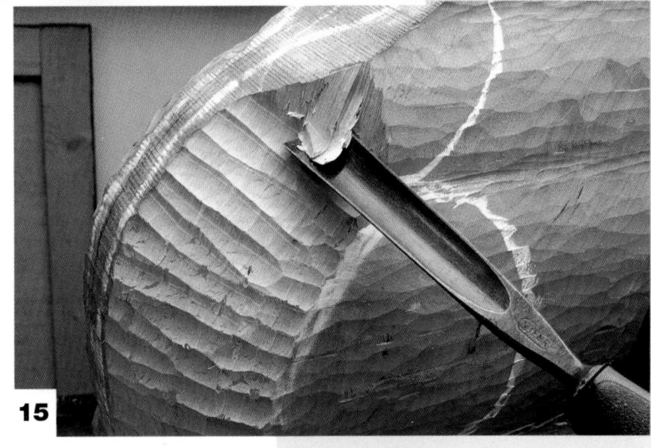

15

16

17

16 Se delimita la zona del pecho y la disposición de las patas anteriores del gato marcando con tiza. Se marcan también los planos de la cara, la frente, la nariz y las mejillas con lápiz.

17 Ahora se desbastan los flancos anteriores con la misma gubia, cortando en sentido transversal. Se desbastan los planos de la cara.

18

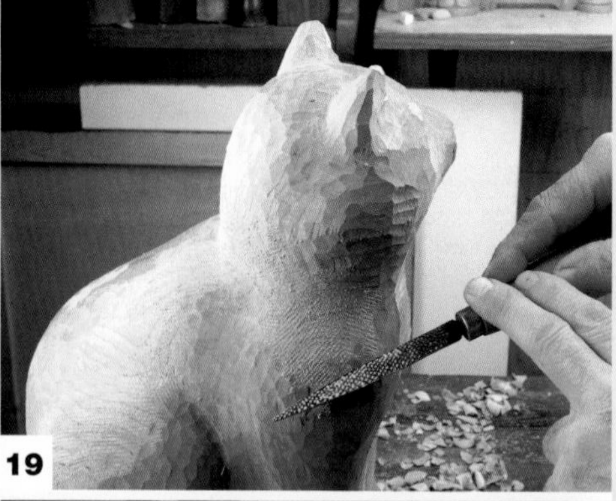

19

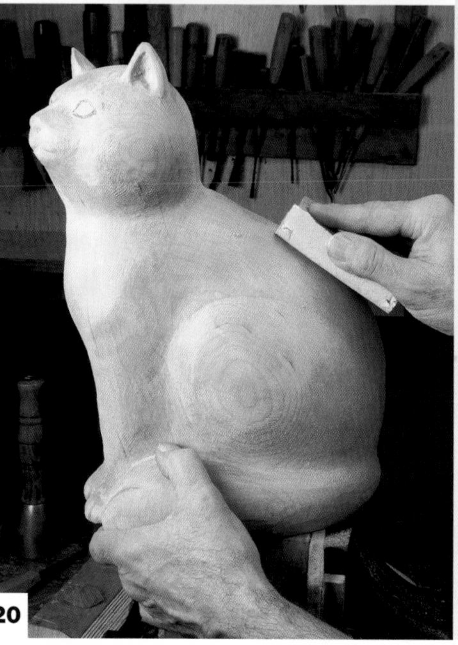

20

18 Con una gubia plana mediana se modelan los volúmenes de las patas posteriores, la cola y las patas anteriores, también se redondea la cabeza y la cara y se modelan las orejas.

19 Con la escofina se eliminan las marcas de la gubia a la vez que se ajustan los volúmenes de la obra.

20 Se entallan los detalles con una gubia con boca de V estrecha, realizando incisiones que marquen la boca y la nariz, los dedos de las patas delanteras y el pliegue de la cola. Se marcan los ojos a lápiz. Después, se pule la superficie con un papel de lija extrafino.

21

21 Finalmente, se perfilan los ojos por la parte interior del dibujo con una gubia con boca en V y se redondean con una gubia plana y otra entreplana.

La escultura del gato finalizada.
Ha recibido un acabado de tapaporos y cera.

Escultura en
talla directa

En este ejercicio se muestra el proceso de creación de una escultura en madera de pino mediante el proceso de talla directa empleando maquinaria. La obra, titulada *Eva*, la realizó Medina Ayllón durante el 15 Simposio Internacional de Talla de Madera celebrado en Kemijärvi, Finlandia, del 27 de junio al 3 de julio de 2005. Se explica asimismo el uso de diferentes máquinas para tallar la madera que permiten la rápida progresión del trabajo, como en este caso.

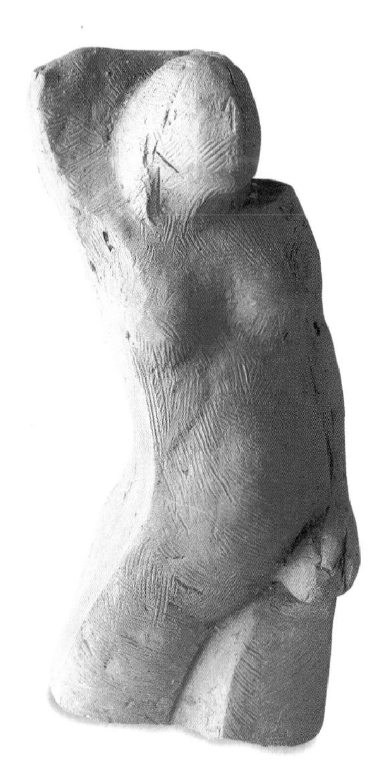

1 Modelo de la escultura en arcilla. Se realiza una foto frontal y otra de perfil y se amplían sobre papel para que sirvan de referencia durante el trabajo.

2 Se empieza a desbastar el tronco con la sierra eléctrica, situando los volúmenes generales de la escultura, la cabeza y el perfil del pecho.

3 Con el bloque en vertical, se desbastan los planos de la escultura trabajando desde todos los ángulos con la sierra eléctrica.

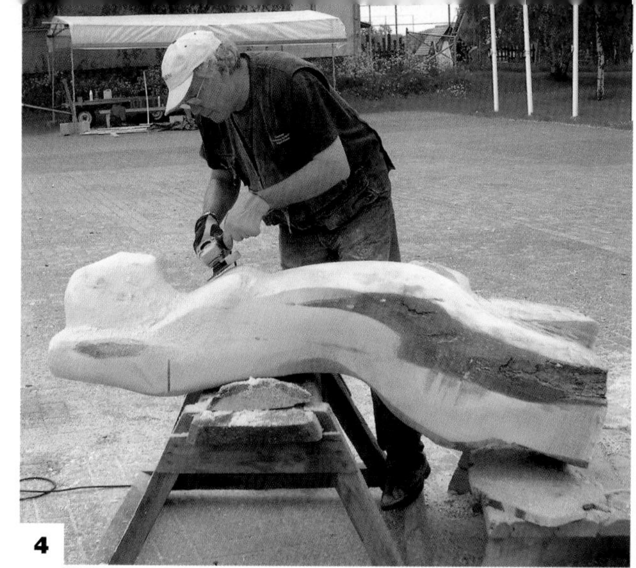

4 Con la amoladora se ajustan los volúmenes, controlando la presión ejercida y la inclinación del disco.

5 Se siguen modelando las diferentes partes de la figura con la amoladora.

6 Para pulir la superficie de la madera se emplea un taladro provisto de un cepillo de lija.

7 Para los detalles se utiliza la gubia. Se modelan las manos y los brazos con una gubia entreplana ancha.

8 Con una gubia de media caña mediana, se modela el cuello.

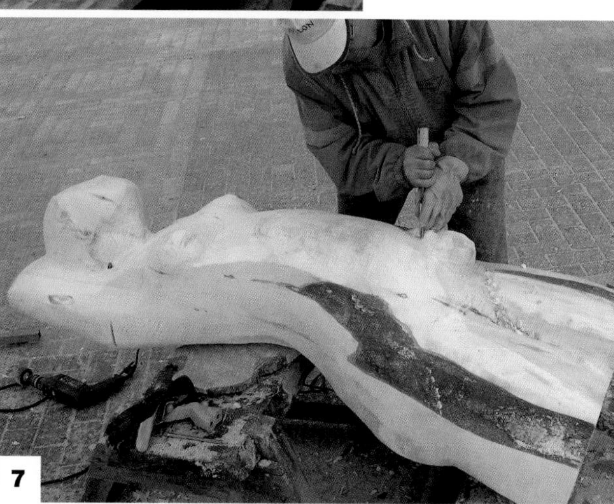

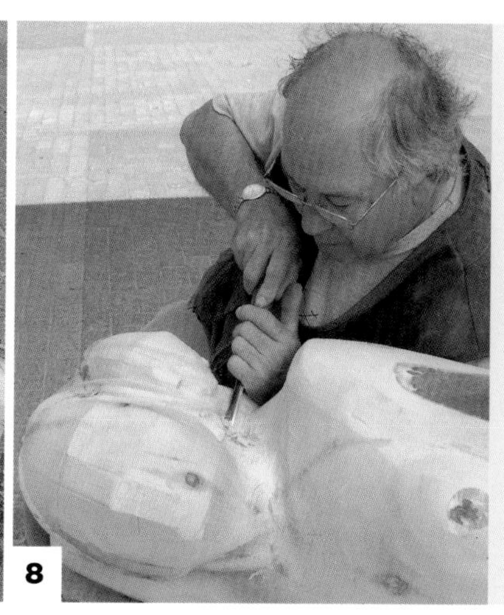

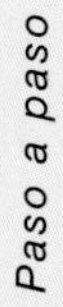

9

10

11 Finalmente, se entallan los detalles de la guirnalda que luce en la parte posterior de la cabeza. Se modelan las flores realizando incisiones con diferentes gubias.

12 En última instancia, se aplica una capa de tapaporos y cera.

9 A continuación, se modela la cabeza redondeando la parte posterior y modelando la guirnalda que la cubre.

10 Con una gubia de media caña se modela la manzana que la figura sostiene en la mano.

"Para los detalles se utiliza la gubia. Se modelan las manos y los brazos con una gubia entreplana ancha."

Tres vistas de la escultura finalizada.

11

12

Escultura por sacado de **puntos**

A continuación, se explica el proceso para realizar una escultura en caoba del mismo tamaño que el modelo con el método de sacado de puntos. Se desarrolla el proceso completo, el cual se articula en dos fases: primero el desbastado, efectuado a partir de los puntos provisionales, y luego el modelado, a partir de los puntos definitivos. Este sistema se emplea para realizar una copia fiel. Una vez hallados los puntos definitivos se interpretan los planos en función del modelo.

1 Modelo en terracota de la escultura *Verano*, original de Medina Ayllón, y bloque de caoba convenientemente preparado.

2 Primero se cuelga la cruz en el modelo y se marca el primer punto, siguiendo el proceso explicado en el apartado "Sacado de puntos" (véanse págs. 50-54).

3 Seguidamente, se fija el bloque de madera sobre la superficie de trabajo con un sargento, aunque lo habitual es utilizar el tornillo fijo. Se traslada el punto sobre el bloque de caoba y se entalla (véase pág. 55).

4 Se prosigue pasando los puntos de la parte posterior de la figura al bloque de madera efectuando el desbastado.

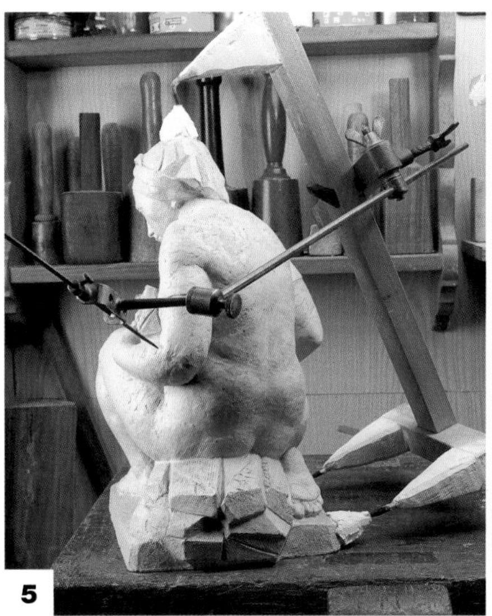
5

6

5 Tras ajustar los brazos de la máquina de puntos, se busca el punto más saliente del lado izquierdo de la figura, que en este caso corresponde al codo.

6 Se pasa sobre la madera, desbastando a fin de extraer la cantidad de madera necesaria para hallar el punto, y se marca a lápiz.

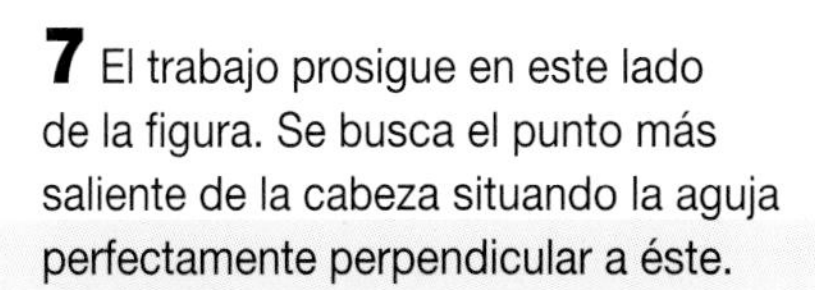

7 El trabajo prosigue en este lado de la figura. Se busca el punto más saliente de la cabeza situando la aguja perfectamente perpendicular a éste.

8 y **9** Se traslada la medición sobre el bloque de madera, y se entalla el punto marcándolo a lápiz.

7

8

9

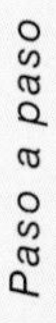

10 y **11** El proceso continúa pasando los puntos del lado izquierdo de la figura. El perfil y los volúmenes de la madera se aproximan a los del modelo.

10

11

12

"Se busca el punto más saliente situando la aguja perfectamente perpendicular a éste."

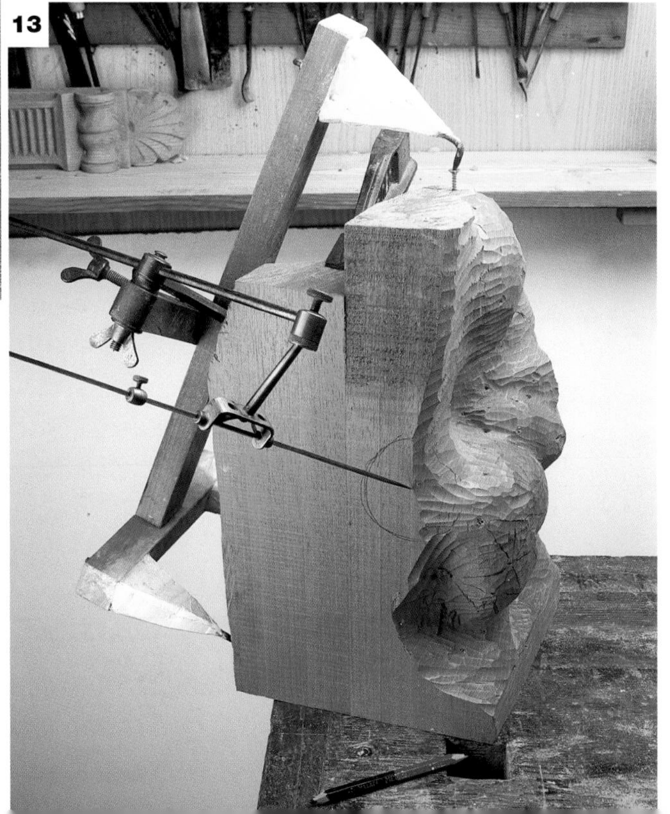

13

12 Se cuelga nuevamente la cruz ajustando los brazos en el lado opuesto, de tal manera que la máquina alcance el lado derecho de la figura. Se vuelve a buscar el punto más saliente.

13 Ahora se pasa el punto sobre el bloque de caoba y se procede según el método explicado, pasando los puntos de este lado de la figura.

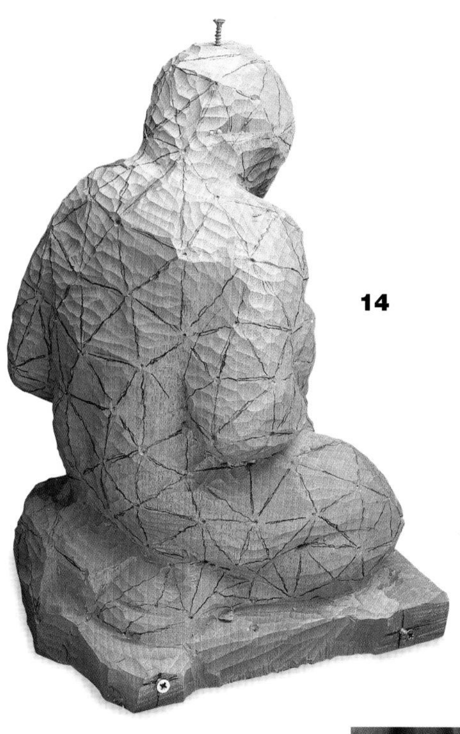

14

15

16

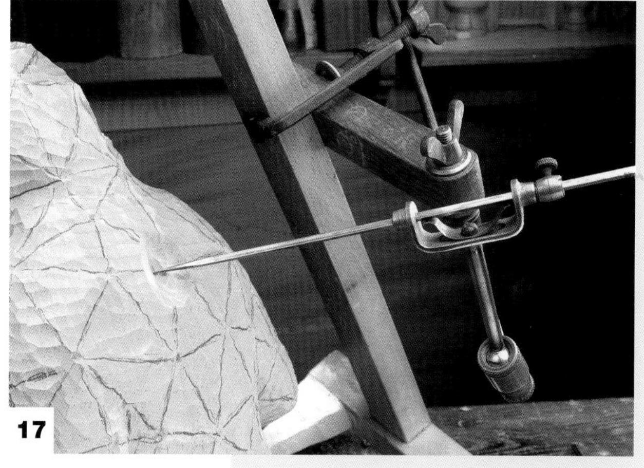

17

14 El resultado es la figura desbastada con el volumen y las formas generales del modelo. A partir de este momento se inicia la siguiente fase del trabajo, que consiste en pasar los puntos definitivos.

15 Se monta la cruz en la disposición inicial y se sitúa la aguja de la máquina de puntos sobre uno de los primeros puntos realizados. Se mide la situación de dicho punto.

16 Se pasa el punto sobre la madera y se establece la profundidad de éste, observando la distancia entre el tope y el soporte de la aguja.

17 Se entalla la madera excavando con una gubia hasta que el punto se corresponda, es decir, hasta que el tope entre en contacto con el soporte de la aguja.

18

19

“Ahora se inicia la talla definitiva de la madera a partir de la interpretación de los planos definidos por los puntos definitivos.”

18 El proceso continúa con el siguiente punto, situado al lado del primero. Se entalla la madera para situar el segundo punto definitivo.

19 Se busca el tercer punto que define este plano, generado por la triangulación del espacio.

20 Una vez pasado el último punto se marca la forma del plano generado a lápiz, igual que con los puntos definitivos.

21 Se marcan los puntos definitivos ya pasados sobre la madera con un pequeño semicírculo; asimismo, se marca este plano también en el modelo. Esto ayuda a establecer los planos a partir del modelo en la fase del modelado final.

20

21

22

22 El trabajo, al igual que en la fase anterior, progresa por orden, situando primero los puntos definitivos de la parte posterior de la figura.

23

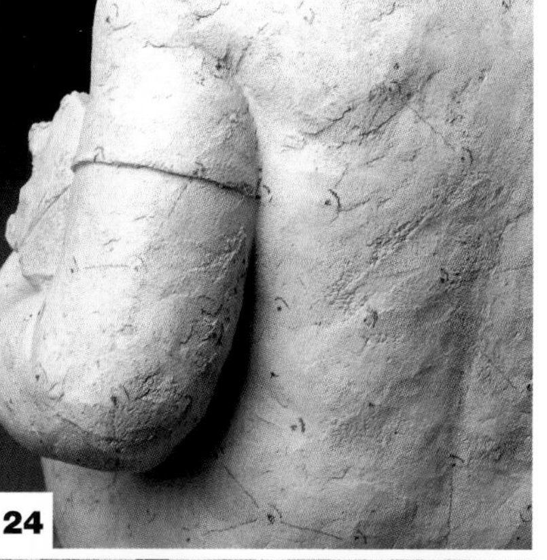

24

23 Se prosigue situando los puntos definitivos del lado izquierdo de la figura y progresando luego por la parte frontal.

24 A su vez, se van marcando los puntos pasados definitivamente y los planos de la obra.

25

25 El resultado es una figura en madera con las formas y dimensiones del modelo. Ahora se inicia la talla definitiva de la madera a partir de la interpretación de los planos definidos por los puntos definitivos.

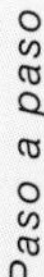

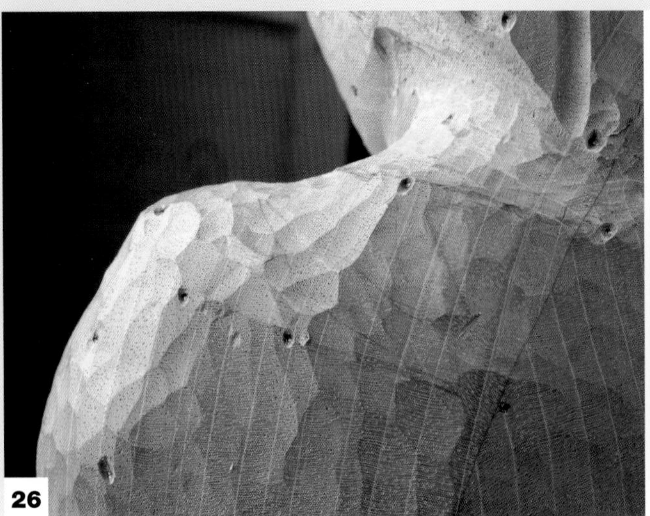

26 Se establece la zona que hay que tallar, en este caso, el plano situado sobre el omóplato izquierdo de la figura.

27 Tomando el modelo de terracota como referencia, se observa el volumen y la forma del plano.

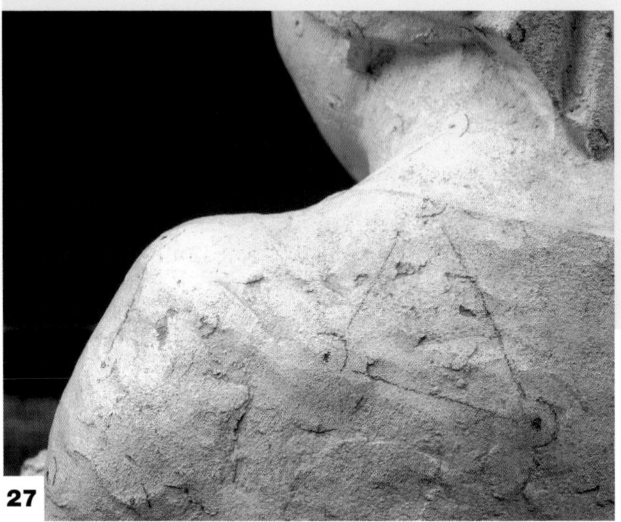

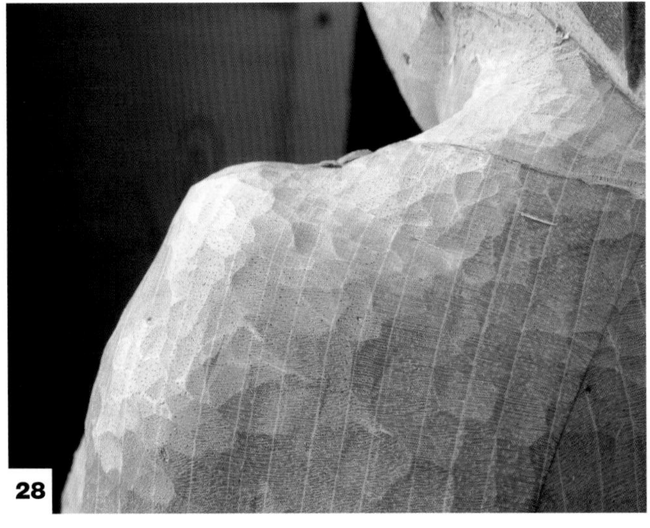

"Para modelar los detalles se trabaja por partes. Se realizan en primer lugar las manos."

28 Se talla la zona hasta eliminar las marcas de los puntos, modelándola a partir de las formas y del volumen del modelo. Para evitar posibles problemas se marcan a lápiz los elementos importantes, en este caso, el cuello del vestido. Se prosigue con el resto de la figura.

29 Seguidamente, se eliminan las marcas de las gubias con una escofina, ajustando a la vez los volúmenes de la zona.

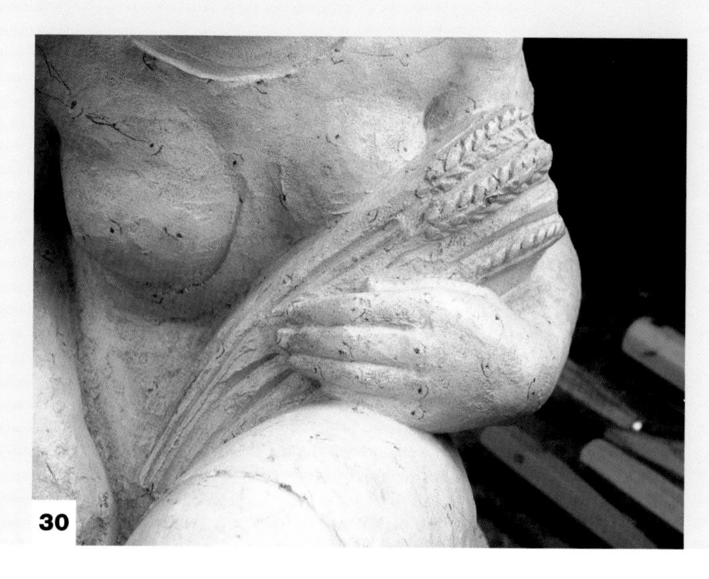

30 Para modelar los detalles se trabaja por partes. Se realizan en primer lugar las manos.

31 Se dibujan a lápiz las líneas de separación de los dedos, es decir, se sitúan en la mano.

32 Se modelan con una gubia entreplana mediana, consultando el modelo, situado en segundo término, para establecer las formas y los volúmenes.

33 La mano una vez tallada se corresponde con la del modelo.

34 Ahora se prosigue con la cara de la figura. Para visualizar a la perfección el rostro, se dispone el modelo en horizontal sobre la superficie de trabajo.

35 Se sitúa también la figura de madera en horizontal sobre la superficie de trabajo y se tallan los elementos del rostro.

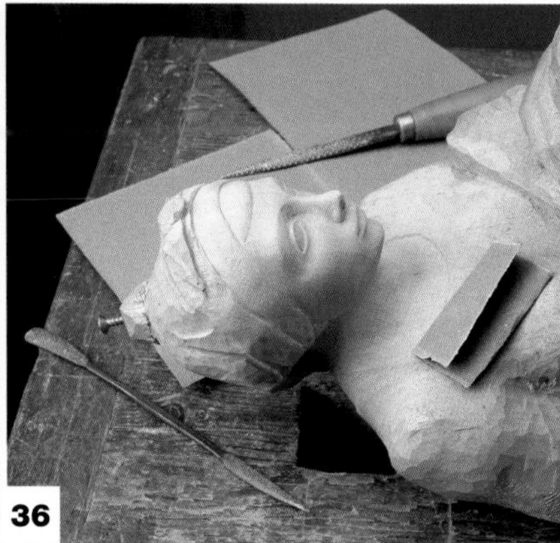

36 Se eliminan las marcas de las gubias y se ajustan los detalles de los volúmenes con diversas escofinas, escogiendo en cada momento la más indicada. Se lija la superficie de la escultura con diferentes granos hasta llegar al más fino.

37 Una vez finalizada la escultura, se extraen los puntos donde se fijaba la cruz. Se elimina la madera sobrante cortando con una gubia plana en dirección transversal a la veta.

38 Finalmente se nivela y alisa la superficie de la base con una gubia entreplana, cortando en dirección transversal a la veta.

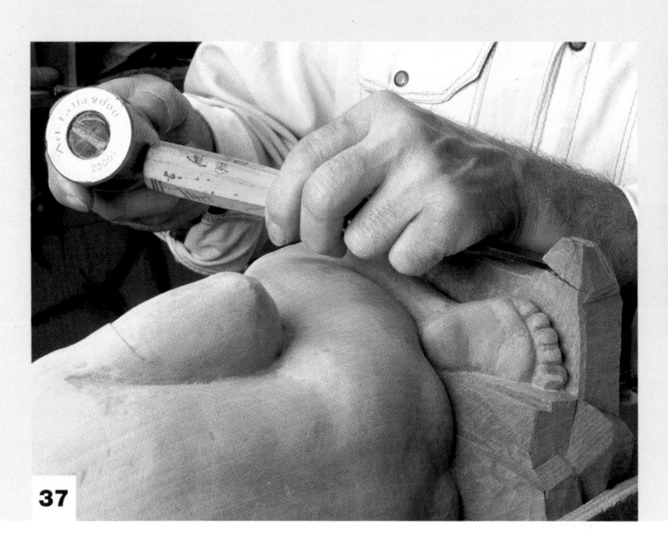

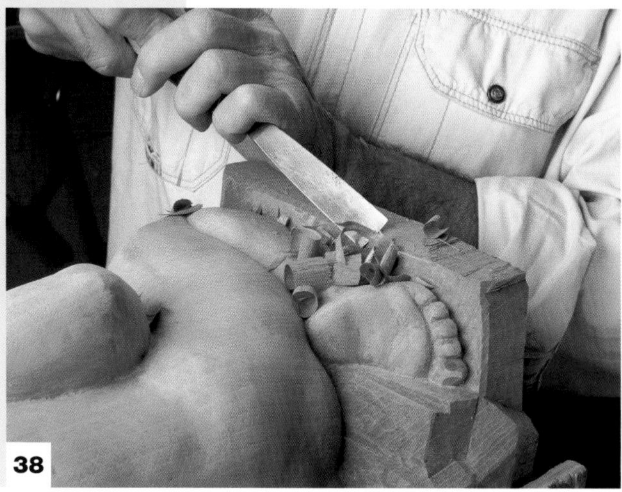

Verano, *de Medina Ayllón, 2006.*
La figura ha recibido un acabado de tapaporos y cera.

Escultura por **ampliación**

En las siguientes páginas se muestra el proceso de creación de una escultura en caoba de mayor tamaño que el modelo usando el método Medina de ampliación (*Primavera*, Medina Ayllón, 2006).
Este método consiste en trasladar puntos en tres dimensiones a la escala deseada. Permite simplificar el trabajo respecto de otros métodos, pues trata de hallar los puntos sólo ampliando la medida de profundidad, ya que el transportador y la barra de medida dan las otras dos coordenadas.
Asimismo, permite efectuar ampliaciones a cualquier escala.

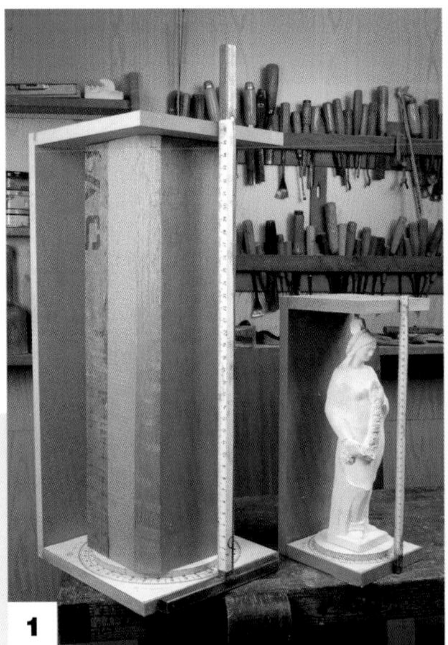
1

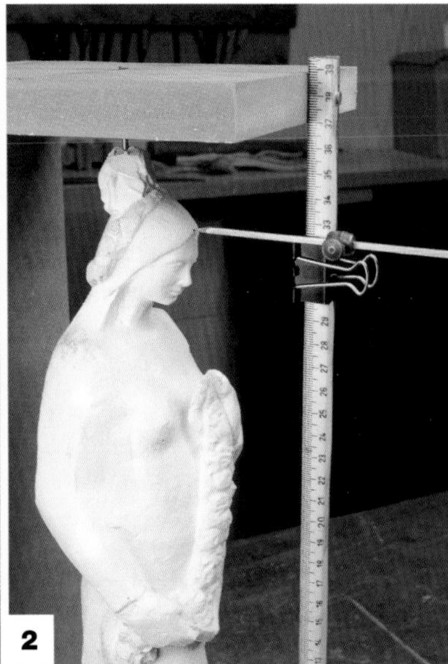
2

1 Siguiendo el proceso explicado en el partado "Ampliación del modelo" (véanse págs. 58-59), se dispone el modelo de escayola en el telar giratorio, se escoge y prepara un bloque de caoba y se monta también en una estructura similar, pero un 170 % mayor.

2 Se sitúa el modelo frontal, a 360° en el transportador de ángulos. Se marca el punto con la aguja perpendicular a la barra de medida, apoyándola sobre la pinza de soporte. Se constata que está situado a 32,3 cm.

3, **4** y **5** Con la aguja se mide la profundidad, 6,1 cm. Se pasa esta medida a la proporción de la ampliación, o sea, 10,4 cm. Al tratarse de la fase de desbastado, se resta 1 cm y se ajusta la medida de la aguja a 9,4 cm (véanse págs. 60-61).

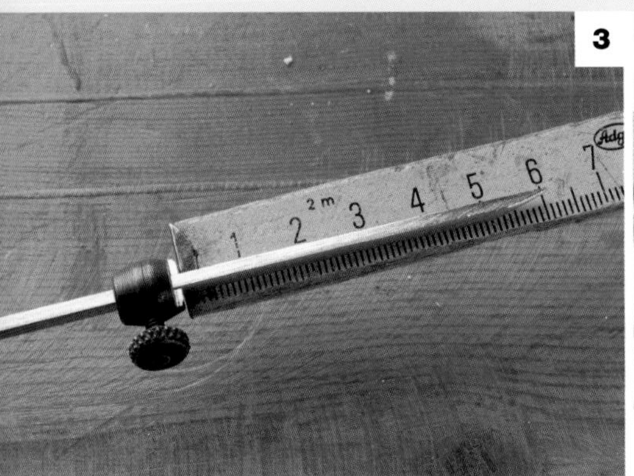
3

4

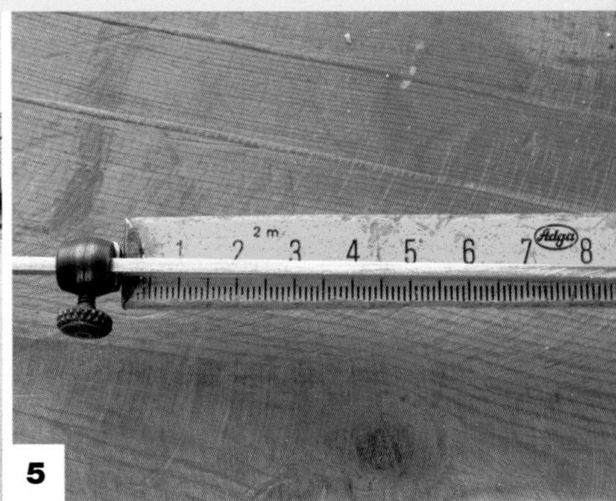
5

6 Se procede igual que con el sacado de puntos, marcando primero los puntos más salientes y pasándolos después al bloque.

7 Una vez retirada la barra de medición o cruz, se desbasta la madera hasta conseguir una forma cóncava y se talla el punto central hasta comprobar con la aguja que el punto se corresponde.

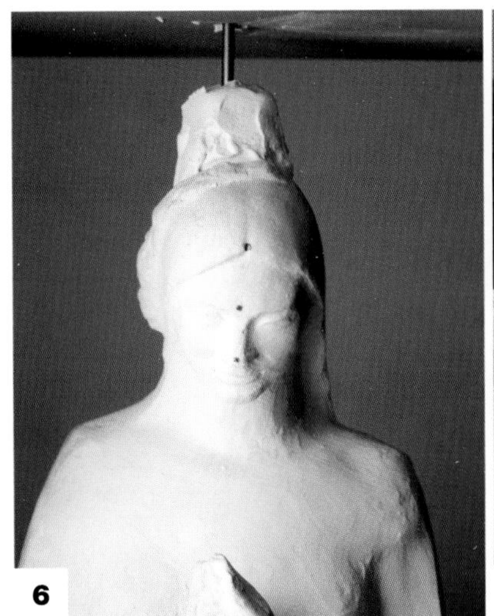

6

7

8

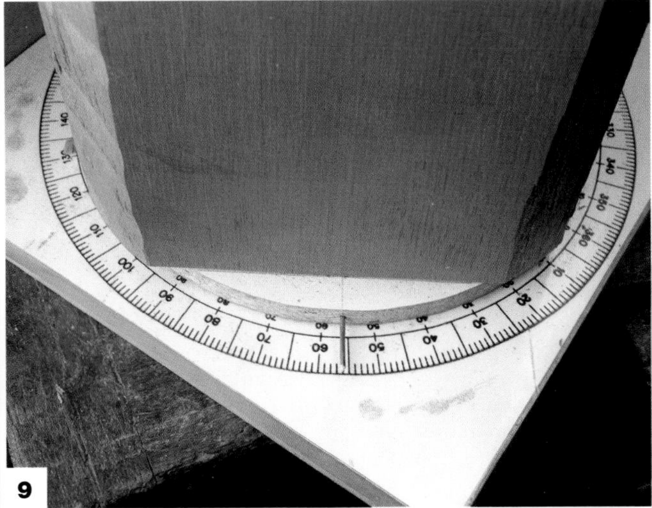

9

10

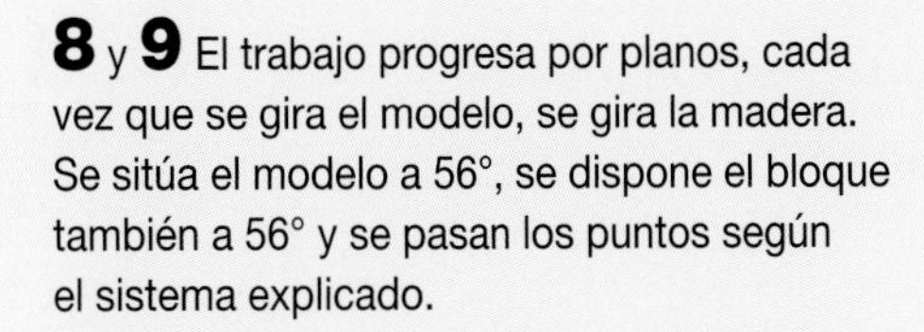

8 y **9** El trabajo progresa por planos, cada vez que se gira el modelo, se gira la madera. Se sitúa el modelo a 56°, se dispone el bloque también a 56° y se pasan los puntos según el sistema explicado.

10 El resultado es el desbastado por planos. Se progresa pasando los puntos provisionales.

11

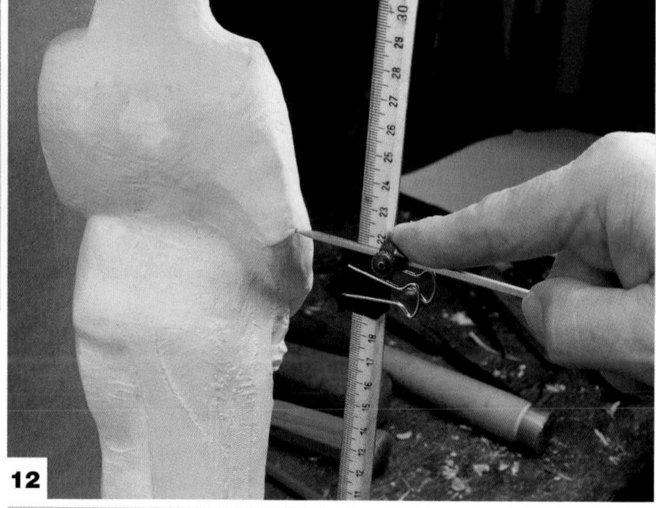

12

11 Se prosigue pasando puntos según distintos ángulos, consiguiendo con ello trabajar todo el perímetro de la obra. En este caso, se sitúa el modelo a 250°.

12 Se sitúa el punto más saliente de este lado y se mide con la aguja. Se observa que está a 21,5 cm de altura.

13 Seguidamente, se transforma la medida según la proporción de ampliación (véase pág. 60) y se ajusta la aguja a 5 cm de profundidad.

14 El bloque de madera se ajusta con el mismo ángulo del modelo para este punto, es decir, 250°.

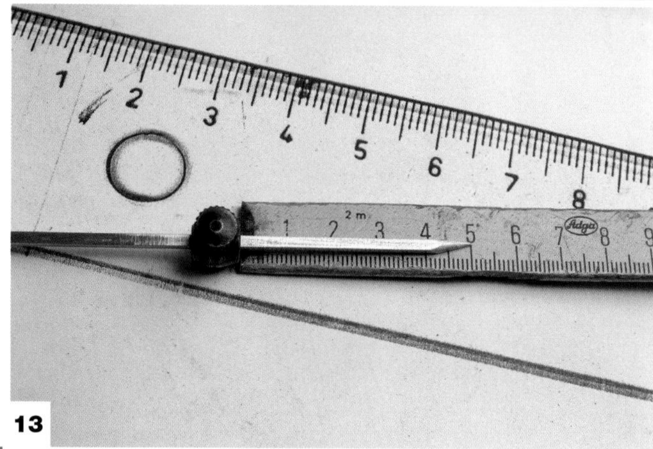

13

14

“El trabajo progresa por planos, cada vez que se gira el modelo, se gira la madera.”

15

16

17

15 Se sitúa la aguja sobre la barra de medición o cruz a la medida anterior, es decir, 21,5 cm. Se marca el punto en el bloque de madera y se entalla hasta encontrarlo.

16 Se trabaja en este lado de la escultura hasta desbastar la forma por completo.

18

17 y **18** El trabajo prosigue desde todos los lados, incluso por la parte posterior.

19 Una vez finalizado el desbastado se localizan los puntos definitivos, siguiendo un proceso similar al sacado de puntos.

19

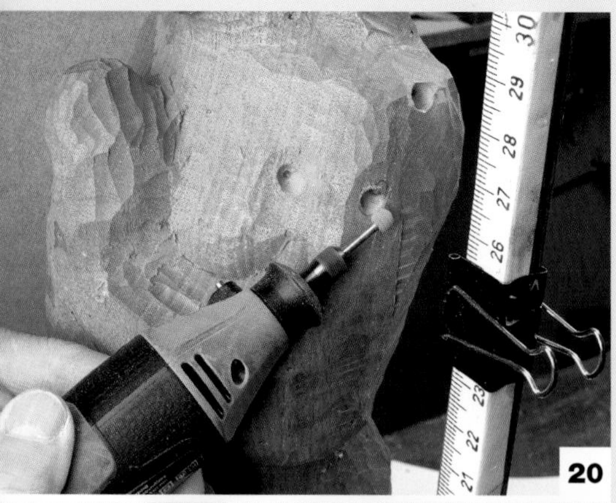

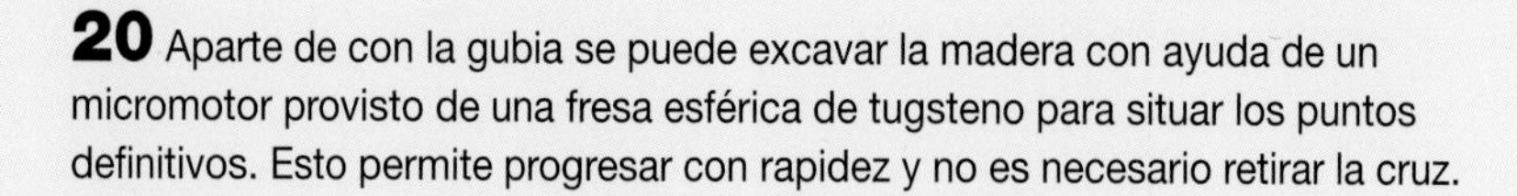

20 Aparte de con la gubia se puede excavar la madera con ayuda de un micromotor provisto de una fresa esférica de tugsteno para situar los puntos definitivos. Esto permite progresar con rapidez y no es necesario retirar la cruz.

21 Como en el ejercicio anterior, se trabaja por planos una vez encontrados los puntos definitivos.

22 Se modela la superficie del brazo a partir de los planos definidos por los puntos. Se corta la madera en sentido transversal a la veta con una gubia de media caña mediana, hasta eliminar cada punto.

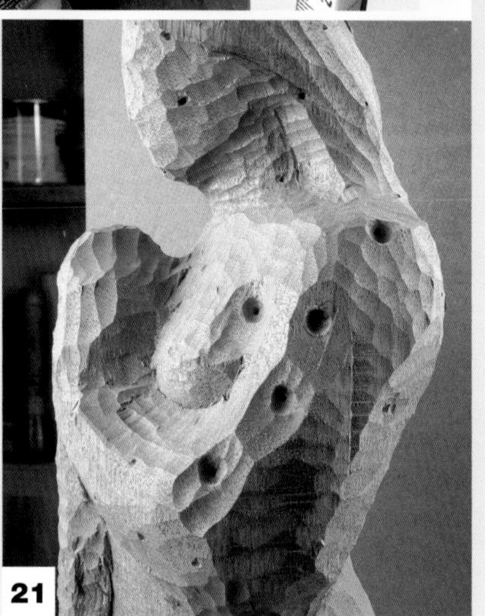

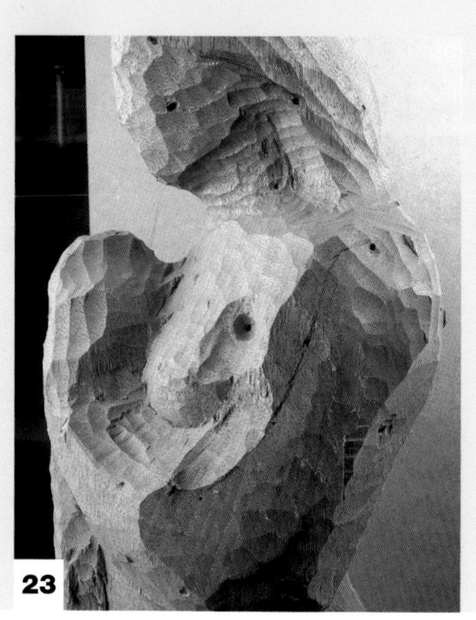

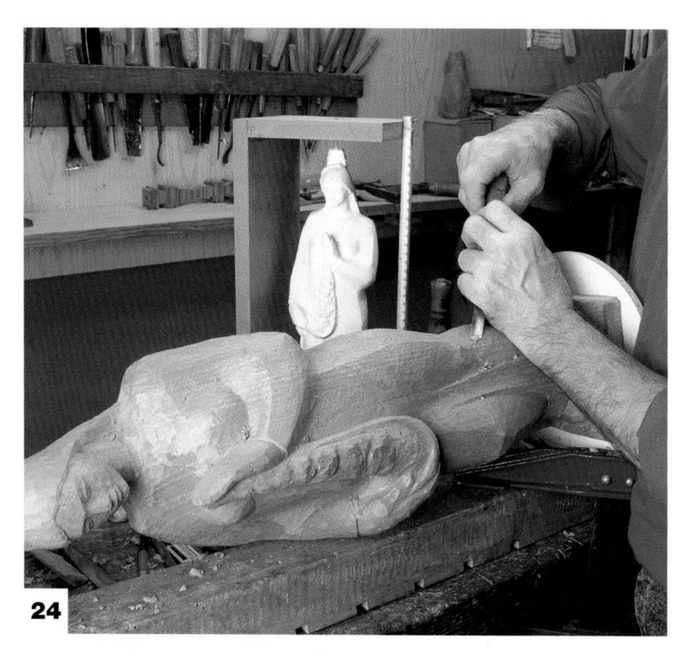

23 Se marca a lápiz el perfil del brazo, esto es, la separación de los planos, y se prosigue con la talla.

24 El modelado se realiza interpretando los planos definidos por los puntos a partir del modelo. El trabajo finaliza tras lijar la cara y las manos de la figura, dejando en el resto de la superficie la textura de la gubia. Se retira la base y con una gubia se retira también el sobrante sobre la cabeza, donde se fijaba con el eje al telar.

La escultura finalizada. Como acabado se le ha aplicado tapaporos y se ha encerado.

Galería

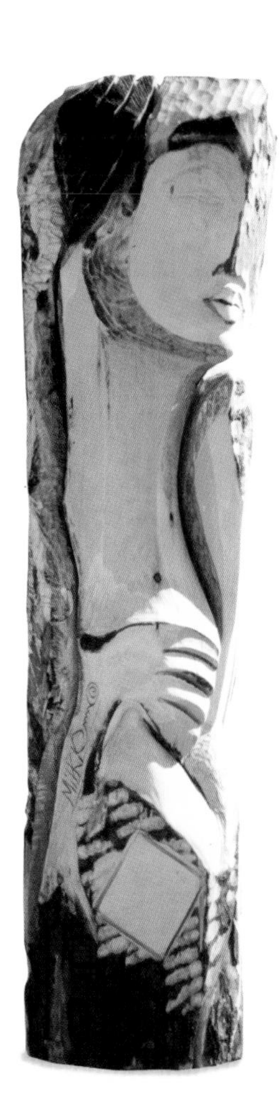

Mikael Paajanen (Finlandia), *Äiti*, 2005. Pino de Laponia y acrílico, 220 cm.

Carlos Monge (México), *Bailaora*, 2004. Castaño, 100 × 31 × 33 cm.

Luis Barbosa (España), *El corredor*, 2002. Palo rosa americano, 10 × 25 × 30 cm. Foto de Cosme Oriol Riera.

Kevin Smith (Nueva Zelanda), *Sin título*, 2005. Abeto, 150 × 40 × 40 cm.

Mirta Romero (Argentina), *Frente al espejo*, 1999. Abeto blanco, 250 × 50 × 50 cm.

Medina Ayllón (España), *Primitivo*, 1990. Pino Flandes y mármol de Ulldecona, 44 × 22 × 26 cm.

Medina Ayllón (España), *Arco*, 1992.
Caoba, chapa de hierro y mármol travertino,
122 × 88 × 33 cm.

Oiva Kenta
(Finlandia), *Paisaje*, 2001.
Tilo, 100 × 45 × 10 cm.

Francisco Gazitua
(Chile), *Mujer sentada*,
1989. Maderas diversas,
35 × 25 × 30 cm.

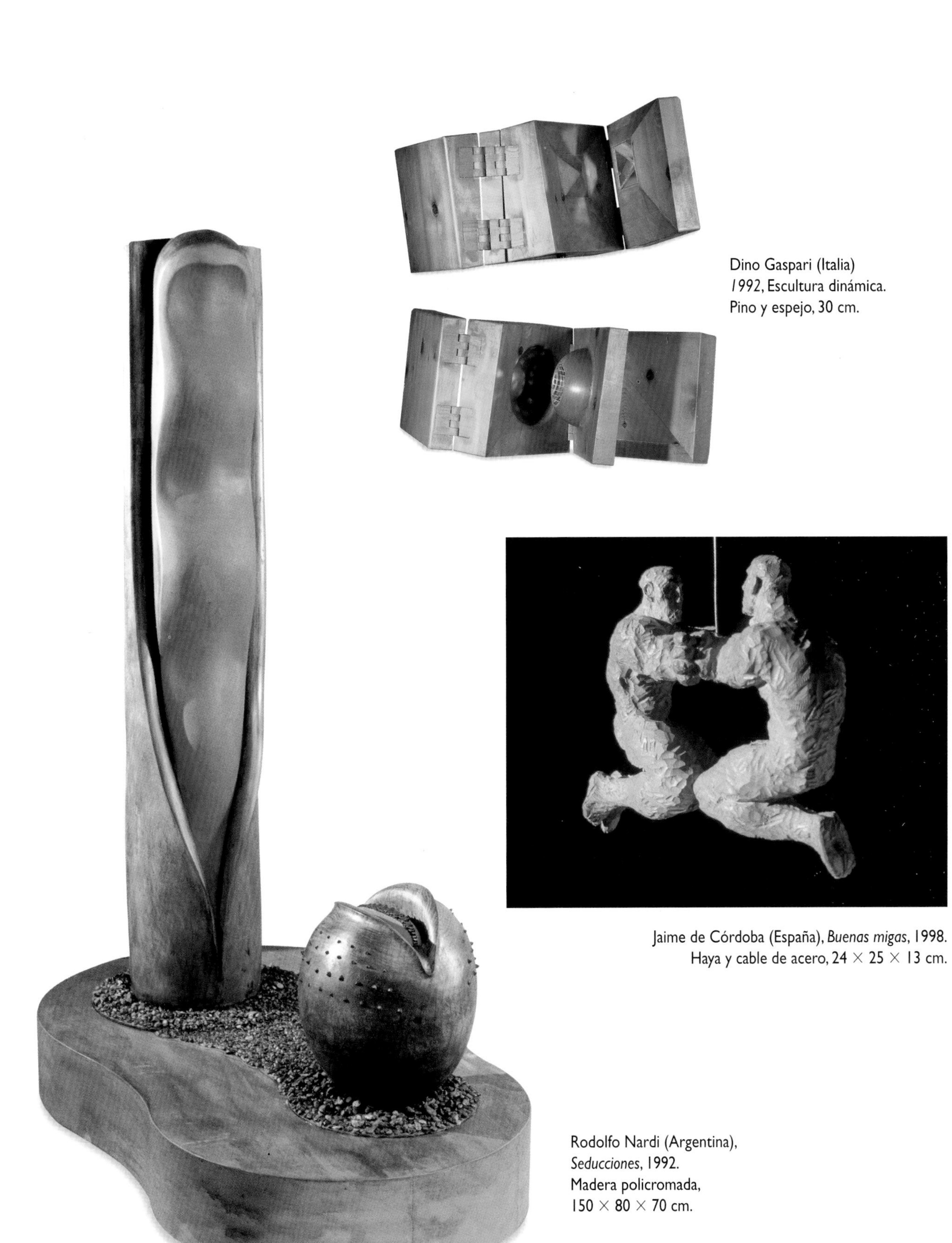

Dino Gaspari (Italia)
1992, Escultura dinámica.
Pino y espejo, 30 cm.

Jaime de Córdoba (España), *Buenas migas*, 1998.
Haya y cable de acero, 24 × 25 × 13 cm.

Rodolfo Nardi (Argentina),
Seducciones, 1992.
Madera policromada,
150 × 80 × 70 cm.

Glosario

A- Altorrelieve. Relieve donde las formas sobresalen del plano que forma el fondo más de la mitad del grueso real que representan.

Ampliación. Reproducción de una escultura a tamaño mayor que el modelo original, según una determinada escala.

B- Bajorrelieve. Relieve donde las formas representadas sobresalen parcialmente, resaltando muy poco del plano general.

Bulto redondo. Escultura en todo su volumen, aislada y, por tanto, visible desde todo su contorno.

C- Contraveta. Corte rasposo que se realiza al trabajar en sentido inverso a las fibras de la madera.

Coordenadas. Líneas que sirven para determinar la posición de un punto en el espacio que, al cruzarse, definen la situación del punto.

Cruz. Estructura formada por dos piezas cruzadas. Se emplea como base para situar la máquina de puntos en el sistema de sacado de puntos, provista de una regla para tomar mediciones en el método Medina de ampliación.

D- Desbastar. Proceso de eliminación de madera, situando las formas y los volúmenes generales de la obra.

G- Galga. Herramienta que sirve para comprobar las dimensiones o formas de una pieza.

Gubia. Herramienta fundamental para la talla en madera. Consiste en una hoja de acero templado laminado que puede tener diferentes perfiles y bocas y un mango de madera.

M- Macolla. Conjunto de vástagos, flores o espigas que nacen de un mismo pie.

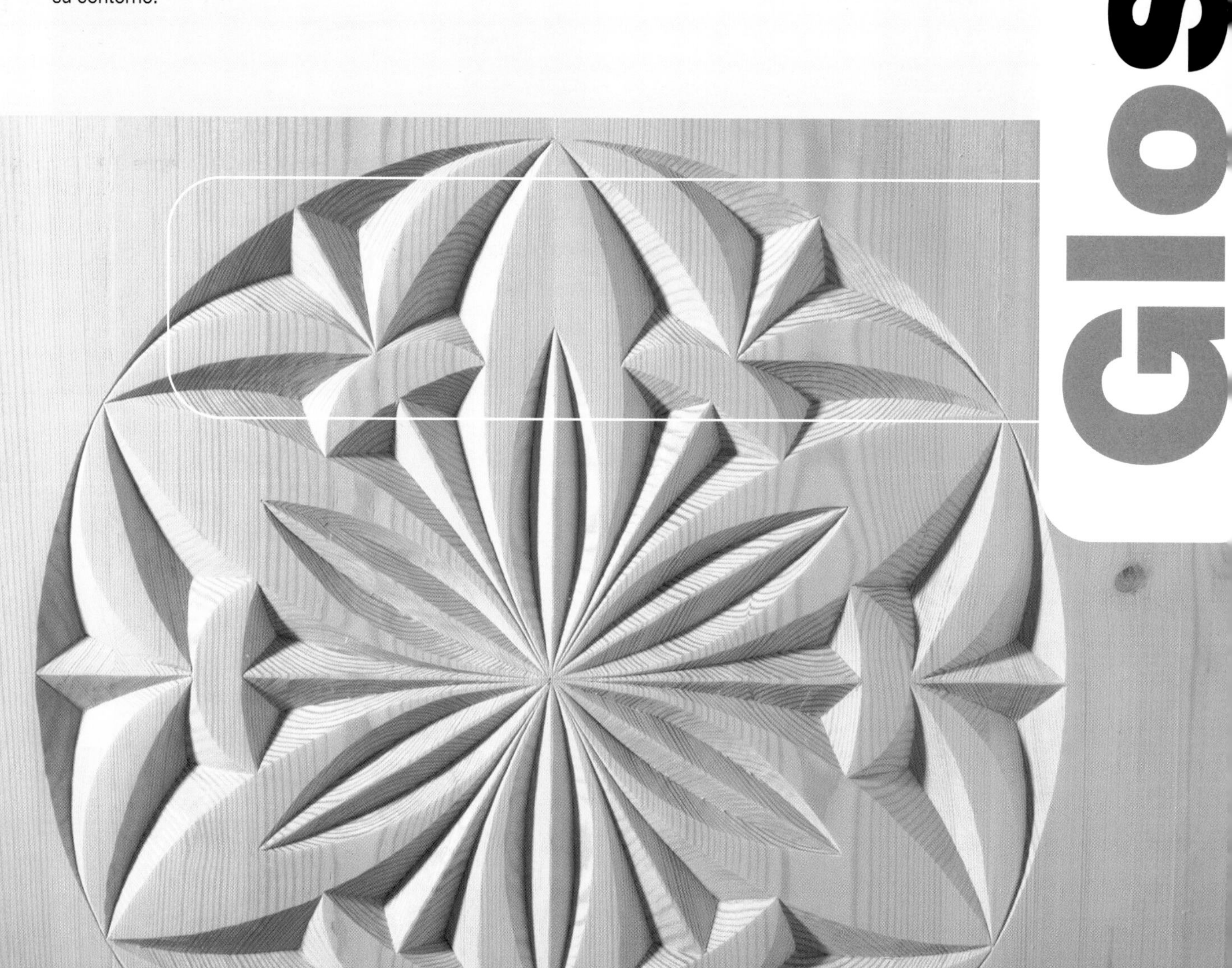

Método Medina. Método de ampliación desarrollado por Medina Ayllón basado en el empleo del telar giratorio. Permite pasar los puntos de un modelo al bloque de madera situándolos en el espacio.

Modelar. Fase del trabajo de talla durante el cual se realizan las formas y los volúmenes definitivos de la obra, así como los detalles.

Modelo. Representación en tres dimensiones, como materialización del proyecto o diseño inicial, de la obra que se desea efectuar en madera.

P- Perfil. Contorno de una figura plana. Figura que representa un cuerpo cortado real o imaginariamente por un plano vertical.

Perspectiva. Modo de representar sobre una superficie un objeto o figura en la forma y disposición como aparece a la vista, dando la impresión de grosor y distancia.

Proporción. Disposición, conformidad o correspondencia debida a las partes de una cosa respecto del total o entre cosas relacionadas entre sí.

Pulir. Alisar la madera para conseguir una superficie perfectamente lisa y tersa.

R- Regruesar. Operación para preparar la madera pasándola por la regruesadora a fin de conseguir piezas de un grosor uniforme y con las superficies lisas.

Relieve. Obra o figura que sobresale del plano que forma el fondo, resaltando.

Repelo. Conjunto de fibras que en la superficie de la madera se elevan en dirección contraria a la normal.

S- Sacado de puntos. Método de traslado de puntos del modelo al bloque de madera, situándolo en el espacio, para conseguir una reproducción al mismo tamaño.

Siluetear. Fase previa al trabajo de talla que consiste en eliminar la madera sobrante para acercarse a la forma general de la obra.

V- Veta. Hebra o vena de la madera situada en una dirección.

Bibliografía

- Bergós, J. *Maderas de Construcción, decoración y artesanía.* Gustavo Gili, Barcelona, 1951.

- Bridgewater, A. *The craft of wood carving.* David and Charles, Londres, 1981.

- Clerin, Ph. *La Sculpture.* Dessain et Tolra, París, 1988.

- Denning, A. *Técnicas de talla en madera.* Acanto, Barcelona, 1997.

- Johnson, H. *La madera, origen, explotación y aplicaciones.* Blume, Barcelona, 1989.

- Maltese, C. (coord.) *Las técnicas artísticas.* Cátedra, Madrid, 1990.

- Orduña, E. *La talla ornamental en madera.* Cía Ibero-Americana de Publicaciones, Madrid, 1930.

- Rudel, J. *Technique de la Sculpture.* Presses Universitaires de France, París, 1980.

- Soler, M. *Mil Maderas.* Universidad Politécnica de Valencia, Valencia, 2001.

- Wittkower, R. *La escultura: procesos y principios.* Alianza, Madrid, 1979.

Agradecimientos

A mi maestro Mariano Piñar, que me inició en la talla y despertó en mí un amor especial a la madera.
Medina Ayllón

A Editorial Parramón, en especial a María Fernanda Canal, por confiar en nosotros. También a Joan Soto y a todo el equipo de Nos & Soto por su gran entrega. A Josep Bracons, cuya ayuda fue fundamental para poner en marcha este proyecto y a la Escola Superior de Disseny i Art, Llotja. A Marisa Lobato por el policromado de la máscara y la realización de las fotografías en Finlandia y Bahrein.

A las empresas que han colaborado desinteresadamente:

Moval
Riera Alta, 26
08001 Barcelona
www.movaltools.com

Fusteria Sant Andreu, S.C.C.L.
Roine, 13
08030 Barcelona

Robert Bosch España, S.A.
http://www.robert-bosch-espana.es

Art-Talla 2000, S. L.
Sant Antoni Maria Claret, 17
08460 Santa Maria de Palautordera
Barcelona
www.arttalla.com

FLUVIA. Conservación y restauro, S. L.
Sant Antoni, 3
17176 La Vall de Bas
Girona
www.mfluvia.com

A los artistas:

Luis Barbosa
www.luisbarbosa.es

Jaime de Córdoba
jaumedecordoba@ub.edu

Dino Gaspari
frenciart@virgilio.it

Francisco Gazitua
www.franciscogazitua.com

Oiva Kentta
oiva.kentta@seamk.fi

Medina Ayllón
medina_ayllon@hotmail.com

Carlos Monge
crmonge@hotmail.com

Rodolfo Nardi
rodnardi@yahoo.com.ar

Mikael Paajanen
mikael.paajanen@seamk.fi

Mirta Romero
www.mirtaromero1.com.ar

Kevin Smith
kivinski007@hotmail.com